PODER PELA ORAÇÃO

E. M. BOUNDS

PODER PELA ORAÇÃO

Vida

EDITORA VIDA
Rua Conde de Sarzedas, 246 — Liberdade
CEP 01512-070 — São Paulo, SP
Tel.: 0 xx 11 2618 7000
atendimento@editoravida.com.br
www.editoravida.com.br
@editora_vida /editoravida

Editor responsável: Sônia Freire Lula de Almeida
Editor-assistente: Gisele Romão da Cruz
Tradução: Marson Guedes
Preparação: Lena Aranha
Revisão de provas: Marsely Dantas
Projeto gráfico e diagramação:
Efanet Design e Claudia Lino
Capa: Arte Peniel

PODER PELA ORAÇÃO
©2010, EditoraVida, de E. M. Bounds
Publicado originalmente com o título:
Power Through Prayer, em 1906.
Domínio público — Extraído da obra
The Lost Art of Intercession, de James W. Goll,
Destiny Image Publishers, 2007.

Todos os direitos desta edição em língua portuguesa
são reservados e protegidos por Editora Vida
pela Lei 9.610, de 19/02/1998.

É proibida a reprodução desta obra por quaisquer meios
(físicos, eletrônicos ou digitais), salvo em breves citações,
com indicação da fonte.

■

Exceto em caso de indicação em contrário,
todas as citações bíblicas foram extraídas de
Nova Versão Internacional (NVI)
© 1993, 2000, 2011 by International Bible Society, edição
publicada por Editora Vida.Todos os direitos reservados.

Todas as citações bíblicas e de terceiros foram adaptadas
segundo o Acordo Ortográfico da Língua Portuguesa,
assinado em 1990, em vigor desde janeiro de 2009.

■

As opiniões expressas nesta obra refletem o ponto de vista
de seus autores e não são necessariamente equivalentes às
da Editora Vida ou de sua equipe editorial.

Os nomes das pessoas citadas na obra foram alterados nos
casos em que poderia surgir alguma situação embaraçosa.

Todos os grifos são do autor, exceto indicação em contrário.

1. edição: fev. 2010	4. reimp.: abr. 2013
1. reimp.: ago. 2010	5. reimp.: jun. 2021
2. reimp.: nov. 2012	6. reimp.: nov. 2022
3. reimp.: fev. 2013	7. reimp.: nov. 2024

Dados Internacionais de Catalogação na Publicação (CIP)
(Câmara Brasileira do Livro, SP, Brasil)

Bounds, E. M., 1835-1913
    Poder pela oração / E. M. Bounds; tradução [Marson Guedes] — São Paulo:
Editora Vida, 2010.

Título original: *Power Through Prayer*
ISBN 978-85-383-0127-1

1. Oração: Cristianismo I. Título.

09-11041   CDD 248.32

Índices para catálogo sistemático:
1. Oração : Cristianismo 248.32

Índice

1 — Homens de oração são necessários 7
2 — Nossa suficiência vem de Deus 13
3 — A letra mata 17
4 — Tendências a serem evitadas 21
5 — Oração, grandiosa e indispensável 25
6 — Um ministério de oração bem-sucedido 29
7 — Deve-se devotar muito tempo à oração 33
8 — Exemplos de homens de oração 37
9 — Comece o dia orando 41
10 — A união da oração com a dedicação 43
11 — Um exemplo de dedicação 47
12 — É preciso preparar o coração 51
13 — A graça que se origina no coração, não na cabeça 55
14 — Unção, uma necessidade 59
15 — Unção, a marca da verdadeira pregação
do evangelho 63
16 — Muita oração, o preço da unção 67
17 — A oração marca a liderança espiritual 71
18 — Os pregadores precisam das orações do povo 75

19 — É preciso ponderação para colher resultados mais abundantes da oração 81

20 — Um púlpito de oração gera uma congregação de oração 87

Sobre o autor 91

1

Homens de oração são necessários

Estamos constantemente nos desdobrando, quando não nos esticando até o ponto de ruptura, para delinear novos métodos e planos, novas organizações que façam a igreja progredir, assegurando maior disseminação e eficiência para o evangelho. Este curso de época mostra a tendência de perder de vista o homem, ou de submergir o homem dentro do plano ou da organização. O plano de Deus é trazer à tona o máximo que houver dentro do homem, bem mais dele do que de qualquer outra coisa. Os homens são o método de Deus. *A igreja procura métodos mais aperfeiçoados; Deus procura homens mais aperfeiçoados.*

"Surgiu um homem enviado por Deus chamado João" (João 1.6). A dispensação que apregoou e que preparou o caminho para Cristo foi amalgamada naquele homem João. "Porque um menino nos nasceu, um filho nos foi dado" (Isaías 9.6). A salvação do mundo vem desse Filho deitado em manjedoura. Quando Paulo apela para o caráter pessoal dos homens que deitaram as raízes do evangelho no mundo, soluciona o mistério do sucesso deles. A glória e a eficácia do evangelho são uma aposta nos homens que as proclamam. Quando Deus declara que "os olhos do Senhor estão atentos sobre toda a terra para fortalecer aqueles que lhe dedicam totalmente o coração" (2Crônicas 16.9), está declarando que precisa e depende de homens que sirvam de canais pelos quais Ele exercerá seu poder no mundo. Essa verdade vital e premente é tal que esta era de maquinários parece estar apta a esquecer. Esse esquecimento é tão pernicioso para a obra de Deus quanto seria arrancar o sol de seu eixo. Trevas, confusão e morte seguiriam-se.

O que a igreja precisa hoje não é de maquinário ou maquinário aperfeiçoado nem de novas organizações ou de mais e melhores métodos, mas de homens que o Espírito Santo possa usar — homens de oração, homens poderosos na oração. O Espírito Santo não flui por intermédio de métodos, e sim por meio de homens. Não desce sobre maquinário, mas sobre homens. Não unge planos, e sim homens — homens de oração.

Um historiador eminente disse que as contingências do caráter pessoal têm mais a ver com as revoluções das nações do que os historiadores filosóficos ou políticos democratas estão dispostos a admitir. Essa verdade aplica-se plenamente ao evangelho de Cristo, o caráter e a conduta dos seguidores de Cristo — cristianizar o mundo, transfigurar nações e indivíduos. Quanto aos pregadores do evangelho, tudo isso é especialmente válido.

O caráter do evangelho — e também sua prosperidade — está sobre os ombros do pregador. Ele prefigura ou desfigura a mensagem de Deus para o homem. O pregador é o conduíte de ouro por meio do qual o óleo divino flui. O conduíte não precisa ser de ouro, mas tem de estar desimpedido e sem mancha, para que o óleo flua com abundância, livremente e sem desperdícios.

O homem faz o pregador. Deus precisa fazer o homem. O mensageiro, se possível, é mais que a mensagem. O pregador é mais que seu sermão. O pregador faz o sermão. Assim como o leite doador de vida, que provém do seio materno, não é senão a vida da mãe, também tudo o que o pregador diz é matizado, impregnado por quem o pregador é. O tesouro está em vasos terrenos, mas a composição do vaso pode impregnar e descolorir esse tesouro. O homem — o homem todo — é a razão por trás do sermão. A pregação não é algo que se faz durante uma hora. É o que naturalmente flui de uma vida. São necessários 20 anos para fazer um sermão, porque são necessários 20 anos para fazer o homem. O sermão verdadeiro é uma coisa da vida. O sermão desenvolve-se porque o homem se desenvolve. O sermão é vigoroso porque o homem é vigoroso. O sermão é santo porque o homem é santo. O sermão tem unção plena porque o homem está pleno da unção divina.

Paulo chamou-o de "meu evangelho". Não que ele tenha degenerado o evangelho com suas excentricidades pessoais, ou que tenha feito digressões egoístas, mas o evangelho foi posto no coração e na corrente sanguínea do homem Paulo, como tarefa pessoal que lhe foi confiada para ser executada por meio de suas características paulinas; para ser inflamada e possibilitada pela energia ardorosa de sua alma ardorosa. Os sermões de Paulo — o que eles eram? Onde estão? Esqueletos, fragmentos espalhados, sem rumo num mar de inspiração! Mas o homem Paulo, maior que seus sermões, vive para sempre, em plena forma, traços e estatura, dando forma à igreja com a mão. A pregação não é senão uma voz. A voz no silêncio morre, o texto é esquecido, o sermão desvanece na memória; o pregador vive.

O sermão não consegue se elevar acima do homem usando as forças que lhe dão vida. Homens mortos pregam sermões mortos, e sermões mortos matam. Tudo depende do caráter espiritual do pregador. Debaixo da dispensação judaica, o sumo sacerdote usava um diadema de ouro com letras compostas por joias: "Santidade ao Senhor". Então, cada pregador no ministério de Cristo precisa ser moldado e adotar como viga-mestre esse mesmo lema. É uma vergonha ímpar para o ministro cristão ver sua santidade de caráter e de objetivo se rebaixarem em relação ao sacerdócio judaico. Jonathan Edwards disse: "Prossegui avidamente na minha busca por mais santidade e conformidade com Cristo. O céu que desejava era um céu de santidade".

O evangelho de Cristo não progride por ondas populares. Não tem nenhum poder de autopropagação. Ele vai adiante à medida que vão adiante os homens encarregados do evangelho. O pregador precisa personificar o evangelho. Suas características divinas e mais diferenciadas precisam estar corporificadas nele. O poder de constrangimento que o amor tem deve estar no pregador com força arrojada, excêntrica, inteiramente sob comando e indiferente a si mesma. A energia da autonegação precisa ser seu ser, seu coração, sua carne e seu sangue. Deve prosseguir como homem entre homens, vestido de humildade, subsistindo em mansidão, prudente como a serpente, inofensivo como a pomba; os vínculos de um servo com o espírito de um rei, um rei que se porta de maneira elevada, real e independente, tendo a simplicidade e a doçura de uma criança. O pregador precisa lançar-se, com todo o abandono de uma fé perfeita, que se esvazia a si mesma, e de um zelo autoconsumidor, em sua obra pela salvação dos homens.

Mártires compassivos, intrépidos e de coração terno devem ser os homens que pegam uma geração e dão a ela forma para Deus. Se o tempo para servir for reduzido, se forem pessoas que buscam posições, se forem pessoas que agradam ou temem os homens, se tiverem uma fé débil em Deus ou em sua Palavra, se a negação se quebrar por qualquer fase do eu ou do mundo, essas pessoas não podem incumbir-se da igreja nem da palavra de Deus.

A pregação mais aguçada e intensa do pregador deve ser ele mesmo. Sua obra mais difícil, delicada, laboriosa e completa deve ser consigo. O treinamento dos doze discípulos foi a obra grandiosa, difícil e duradoura de Cristo. Os pregadores não são fabricantes de sermões, mas fazedores de homens e fazedores de santos; e só está bem treinado para essas questões aquele que fez de si um homem e santo. Não é de grandes talentos, grandes conhecimentos nem de grandes pregadores que Deus precisa, mas de homens grandes na santidade, grandes na fé, grandes no amor, grandes na fidelidade, grandes em favor de Deus — homens que sempre preguem sermões santos no púlpito, com a vida santa que daí resulta. Estes podem moldar uma geração para Deus.

Seguindo essa ordem, formaram-se os primeiros cristãos. Eram homens de moldes sólidos, pregadores que seguiam um tipo celestial — heroicos, valentes, soldados e santos. Pregar com eles significava autonegação, autocrucificação, a ocupação grave e laboriosa de mártir. Eles se aplicaram de tal forma que foram consumidos de cuidados com a própria geração e formaram para Deus em seu ventre uma geração ainda por nascer. O homem que prega deve ser um homem que ora. A oração é a arma mais poderosa do pregador. Uma força todo-poderosa em si, que traz vida e força a tudo.

O sermão verdadeiro é feito em um aposento recluso. O homem — o homem de Deus — faz-se em um aposento recluso. Sua vida e suas convicções mais profundas nasceram da comunhão secreta com Deus. A onerosa e lacrimosa agonia de seu espírito, suas mensagens mais sólidas e doces foram obtidas na solitude com Deus. A oração faz o homem; a oração faz o pregador; a oração faz o pastor.

O púlpito destes dias é fraco na oração. O orgulho da aprendizagem levanta-se contra a dependência da oração humilde. É demasiadamente frequente a oração alcançar o púlpito apenas oficialmente — a execução de uma rotina no culto. A oração não é para o púlpito moderno a força vigorosa que era na vida ou no ministério de Paulo. Todo pregador que deixa de ter a oração como fator de peso em sua vida e ministério é fraco na obra de Deus e fica sem poder para projetar a causa de Deus neste mundo.

2

Nossa suficiência vem de Deus

Por uma leve perversão, as mais doces graças podem gerar o fruto mais amargo. O sol traz vida, mas a insolação é morte. A pregação serve para conceder vida, mas pode matar. O pregador tem as chaves nas mãos; pode trancar ou deixar aberto. A pregação é a grande instituição de Deus para o plantio e o amadurecimento da vida cristã. Quando conduzida da maneira correta, não há como descrever os benefícios; quando conduzida inapropriadamente, nenhuma maldade consegue sobrepujar os danos resultantes. É coisa fácil destruir o rebanho se o pastor é incauto ou se os pastos estão arrasados; é fácil capturar a fortaleza se as sentinelas estão dormindo ou se a comida e a água foram envenenadas. Investido de tais prerrogativas graciosas, exposto a maldades tão grandes, envolvendo tantas e solenes responsabilidades, seria uma paródia sobre a sagacidade do diabo, e uma difamação de seu caráter e reputação, se ele não se valesse de suas peritas influências para adulterar o pregador e a pregação. Diante disso tudo, a exclamação feita por Paulo em forma de pergunta — "Mas quem está capacitado para tanto?" (2Coríntios 2.16) — nunca perde a atualidade.

Paulo diz: "Nossa suficiência vem de Deus que nos capacitou para sermos ministros de uma nova aliança, não da letra, mas do Espírito; pois a letra mata, mas o Espírito vivifica" (2Coríntios 3.6). O ministério verdadeiro é tocado, capacitado e feito por Deus. O Espírito de Deus está sobre o pregador em poder de unção, o fruto do Espírito está em seu coração, o Espírito de Deus vitalizou o homem e a palavra; sua pregação traz vida, dá vida como a nascente de água dá vida; traz vida como a ressurreição traz vida; dá vida abrasadora como o verão dá vida abrasadora; traz vida frutífera como o outono traz vida frutífera. O pregador que transmite vida é um homem de Deus, cujo coração nunca se sacia de Deus, cuja alma está sempre se esforçando para seguir a Deus, cujos olhos se concentram unicamente em Deus, pelo poder do Espírito de Deus que habita nele, sua carne e seu mundo foram crucificados, e seu ministério assemelha-se à correnteza generosa de um rio que traz vida.

A pregação que mata é uma pregação não espiritual. A capacidade de pregar não vem de Deus. Fontes inferiores a Deus a energizam e estimulam. O Espírito não se evidencia no pregador nem em sua pregação. Diversos tipos de forças podem ser projetados e estimulados pela pregação que mata, mas não são forças espirituais. Elas podem guardar semelhança com as forças espirituais, mas não passam de sombras, de imitações; parecem ter vida, mas vida magnetizada. A pregação que mata é a letra; pode estar em boa forma e bem ordenada, mas ainda é a letra, a letra árida e áspera, a concha vazia e desprovida de enfeites. A letra pode ter o germe da vida dentro de si, mas não tem o sopro da primavera para evocá-la; são sementes de inverno, tão rígidas quanto o solo do inverno, sem qualquer degelo nem germinação em volta delas.

A pregação pela letra tem a verdade. Mas até mesmo a verdade divina não carrega sozinha a energia doadora de vida; precisa ser energizada pelo Espírito, com todas as forças de Deus a dar-lhe suporte. A verdade que não foi vivificada pelo Espírito de Deus mortifica tanto quanto o erro, ou ainda mais. Pode ser a verdade sem outras adições. Mas, sem o Espírito, sua sombra e toque são mortais, é o erro da verdade, é a luz das trevas. A pregação na letra não tem unção, não é suavizada nem azeitada pelo Espírito. Pode haver lágrimas, mas as lágrimas não fazem o maquinário de Deus funcionar; talvez as lágrimas não passem de um sopro de verão em um *iceberg* coberto de gelo, nada além de lodo, neve misturada com sujeira. Pode haver sentimentos e dedicação, mas é a emoção do ator e a dedicação do advogado de defesa. O pregador pode sentir o alumiar de suas próprias fagulhas, ser eloquente com sua própria exegese, dedicado na entrega do produto de seu próprio cérebro; o professor universitário pode usurpar o lugar e imitar o fogo do apóstolo; o cérebro e os nervos podem ajeitar o lugar e falsificar a obra do Espírito de Deus, e por meio dessas forças a letra pode irradiar luz e lampejar como texto iluminado, mas a irradiação e o lampejo serão tão desprovidos de vida quanto os campos semeados com pérolas.

O elemento mortificante jaz por trás das palavras, do sermão, da ocasião, dos modos e da ação. O grande impedimento para o pregador é ele mesmo. Não tem em si as poderosas forças geradoras de vida. Pode não haver nenhum descrédito na sua ortodoxia, honestidade, inocência ou dedicação. Mas, de alguma maneira, o homem interior, em seus lugares secretos, nunca se quebrantou nem se rendeu a Deus, sua vida interior não é um caminho largo para a transmissão da mensagem de Deus, do poder de Deus. De algum jeito é o eu, não Deus, quem governa o Santo dos santos. Em algum lugar, que nunca chega à consciência, algum elemento não condutor da espiritualidade tocou sua vida interior, e a corrente divina foi sugada. Sua vida interior nunca diagnosticou a completa bancarrota espiritual, a perfeita ausência de poder; nunca aprendeu a clamar com um clamor inefável de desespero e desamparo até que o poder e o fogo de Deus entrem, preencham, purifiquem e outorguem autoridade.

De algum jeito pernicioso, a autoestima e a capacidade pessoal difamaram e violaram o templo que deveria permanecer sagrado para Deus. A pregação que gera vida custa muito ao pregador — morte para si, crucificação para o mundo, esforço angustiante para sua alma. A pregação crucificada só consegue transmitir vida. A pregação crucificada pode originar-se somente em um homem crucificado.

3

A letra mata

A pregação que mata pode ser, e normalmente é, ortodoxa — dogmática e inviolavelmente ortodoxa. Adoramos a ortodoxia. É boa. É o melhor. É o ensino da Palavra de Deus, de fronteiras precisamente definidas, os troféus ganhos pela verdade em seu conflito com o erro, as barragens que a fé levantou contra as enchentes desoladoras das honestas ou afoitas descrenças ou convicções equivocadas. Mas a ortodoxia, límpida e dura como o cristal, suspeita e militante, pode não ser outra coisa que não a letra que mata, letra com bela forma, belo nome e boa educação. Nada é tão morto quanto a ortodoxia morta, morta demais para especular, morta demais para pensar, estudar ou orar.

A pregação que mata pode captar e dominar os princípios, pode ter um gosto erudito e crítico, pode ter todas as minúcias das derivações e da gramática da letra, pode ser capaz de aprumar a letra até seu padrão perfeito, e alumiando a letra como Platão e Cícero podem ser alumiados, pode estudar a letra como um advogado estuda seus livros-texto para fazer um mandado judicial ou defender sua causa, e ainda assim ser como a geada, uma geada mortífera. A pregação pela letra pode ser eloquente, esmaltada com poesia e retórica, borrifada com oração temperada com sensação, alumiada pelo espírito humano e, ainda assim, não passar de suporte imponente, austero e custoso, as flores raras e belas que servem de decoração ao caixão. A pregação que mata pode não ter erudição, não apresentar sinais de frescor no pensamento ou no sentimento, é vestida de generalidades sem graça ou especialidades insípidas, com estilo irregular, displicente, sem encontrar gosto no aposento recluso nem na sala de leitura, sem se engraçar com o raciocínio, a expressão ou a oração. É tamanha a extensão da desolação que há debaixo de tal pregação! É tamanha a profundeza dessa morte espiritual! Pregar usando a letra é tratar da superfície e da sombra das coisas, não das coisas em si. Não penetra o íntimo. Não capta nenhuma percepção da verdade, nem toma posse com firmeza da vida que está oculta na Palavra de Deus. Vale para o lado externo, mas o lado externo é a casca que precisa ser quebrada e penetrada em busca da polpa, da semente. A palavra pode ser vestida para ficar atraente e de bom gosto, mas esse atrativo não segue na direção de Deus, nem o bom gosto vai para o céu.

A falha está no pregador. Deus não o fez. Ele nunca esteve nas mãos de Deus como o barro está nas mãos do oleiro. Ele fica atarefado por causa do sermão, em seu raciocínio e finalização, nas forças atrativas e comoventes, mas as coisas profundas de Deus nunca foram buscadas, estudadas, sondadas nem experimentadas por ele. Ele nunca esteve diante do "alto e sublime trono", nunca ouviu o cântico do serafim, nunca viu nem sentiu o afluxo impetuoso causado por essa santidade sublime, nem clamou como quem se entrega ao desespero pela sensação de fraqueza e culpa; também não teve a vida renovada, o coração tocado, expiado, inflamado pelo carvão em brasa vindo do altar de Deus. Seu ministério pode atrair pessoas para ele, para a igreja, para a forma e a cerimônia, mas não há verdadeira atração a Deus, pois a comunhão doce, santa e divina não é incitada. A igreja tem afrescos, mas não foi edificada; recebeu agrados, mas não foi santificada. A vida é suprimida; um calafrio sopra no ar do verão; o solo vira uma carapaça. A cidade de nosso Deus torna-se a cidade dos mortos; a igreja um cemitério, não um exército montado para a guerra. O louvor e a oração ficam sufocados; a adoração é morta. O pregador e a pregação incentivam o pecado, não a santidade; é o inferno bem populoso, não o céu.

A pregação que mata é a pregação sem oração. Sem oração, o pregador gera morte, não vida. O pregador que é débil na oração é débil nas forças que geram vida. O pregador, aquele que abandonou a oração como elemento patente e, em grande medida, predominante em seu próprio caráter, privou, com um corte rente, sua pregação da força de gerar vida que lhe é característica. Sempre haverá aqui e ali quem ore profissionalmente, mas a oração profissional ajuda a pregação a cumprir sua obra mortífera. A oração profissional é gélida, matando tanto a pregação quanto a oração.

Na oração congregacional, muito da devoção displicente, das atitudes preguiçosas e irreverentes são atribuíveis à oração profissional no púlpito. Longas, discursivas, áridas e fúteis são as orações em muitos púlpitos. Sem unção nem coração, elas caem com indiferença mortífera sobre as graças da adoração. São orações familiarizadas com a morte. Todo e qualquer vestígio de devoção pereceu em seu fôlego. Quanto menos vida houver, mais longas serão. Uma convocação para a oração breve, oração viva, oração de coração sincero, oração por meio do Espírito Santo — direta, específica, ardente, simples e fervorosa no púlpito — está na ordem do dia. Uma escola que ensinasse os pregadores a orar, da maneira que Deus leva a oração em consideração, traria mais benefícios para a santidade verdadeira, para a adoração verdadeira e para a pregação verdadeira que todos os seminários teológicos.

Pare! Faça uma pausa! Reflita! Onde estamos? O que estamos fazendo? Pregando para matar? Orando para matar? Orando para Deus! O Deus grandioso, o Criador de todos os mundos, o Juiz de todos os homens! Que reverência! Quanta simplicidade!

Que sinceridade! Quanta verdade se exige nos aspectos interiores! É tanta a legitimidade que precisamos ter! Quanto vigor sincero! Orar a Deus é a atividade mais nobre, o mais altivo esforço do homem, a mais verdadeira das coisas! Não deveríamos abandonar para sempre a pregação execrável que mata e a oração que mata para começar a fazer o que é legítimo, a coisa mais poderosa — oração em espírito de oração, pregação que gera vida, fazendo que a força mais poderosa se ancore no céu e na terra, que retira do tesouro de Deus, tesouro inexaurível e aberto, em favor das necessidades e penúrias do homem?

4

Tendências a serem evitadas

Existem duas tendências extremas no ministério. Uma é fechar-se para intercâmbios com as pessoas. O monge e o ermitão são ilustrações dessa atitude; eles ficam reclusos, sem contato com os homens, para passar mais tempo com Deus. Como é evidente, eles fracassaram. Nossa presença com Deus só tem utilidade quando estendemos os impagáveis benefícios aos homens. Seja para pregadores seja para o povo, esta época não tem muitas pretensões quanto a Deus. O Senhor não é assim nosso desejo ardente. Ficamos reclusos para estudar, tornamo-nos estudantes, devoradores de livros e da Bíblia, preparadores de sermão, conhecidos pela literatura, pela reflexão e pelos sermões; quanto ao povo e a Deus, onde estão? Fora do coração, fora da mente. Os pregadores que são grandes pensadores e grandes estudiosos precisam ser grandes na oração. Caso contrário, serão os maiores dos apóstatas, profissionais desalmados, racionalistas, menores que o menor dos pregadores aos olhos de Deus.

A outra tendência é popularizar inteiramente o ministério. Ele já não é um homem de Deus, mas um homem dos afazeres humanos, do povo. Não ora, porque sua missão é com as pessoas. Se puder mover as pessoas, criar um interesse, uma sensação quanto à religião, um interesse no trabalho da igreja — fica satisfeito. Seu relacionamento pessoal com Deus não é um fator em seu trabalho. A oração ocupa pouco ou nenhum espaço em seus planos. A calamidade e a ruína de tal ministério não podem ser descritas usando a aritmética terrena. Aquilo que o pregador é em oração para Deus, para si, para seu povo, assim é seu poder para fazer o bem duradouro para os homens; assim é sua verdadeira capacidade de frutificar, sua verdadeira fidelidade a Deus e aos homens, para o tempo e para a eternidade.

É impossível o pregador manter esse espírito em harmonia com a natureza divina de seu alto chamado sem muita oração. Dizer que o pregador — por força do dever, da fidelidade laboriosa à obra e à rotina do ministério — pode manter-se em boa ordem é um grave engano. Até mesmo a preparação de sermões, incessante e onerosa como arte, como dever, como trabalho ou como prazer, acaba por monopolizar e endurecer o coração; e também acaba por desafeiçoar o coração de Deus pela negligência da oração. O cientista perde Deus na natureza. O pregador pode perder Deus em seu sermão.

A oração renova o coração do pregador, mantendo-o afinado com Deus e na simpatia com o povo; ela livra seu ministério do ar gélido de uma profissão, faz frutificar a rotina e girar todas as engrenagens com a facilidade e o poder de uma unção divina.

O Sr. Spurgeon disse: "É claro que, acima de todas as pessoas, você deve distinguir-se como homem de oração. Deve orar como cristão comum, caso contrário será um hipócrita. Ore mais que os cristãos comuns, caso contrário será desqualificado para o cargo que ocupa. Se, na qualidade de ministro, você não ora bastante, deve ser digno de pena. Se você for displicente na devoção ao sagrado, não apenas é digno de pena, mas também seu povo, e virá o dia em que sentirá vergonha e ficará confuso. Todas as bibliotecas e estudos são meros espaços vazios quando comparados ao nosso aposento recluso. Nossos períodos de jejum e oração no Tabernáculo de fato foram dias sublimes; nunca os portais do céu estiveram tão abertos; nunca nosso coração ficou mais perto da Glória central".

A oração que dá ao ministério um espírito de oração não é a pouca oração aromatizada que lhe dá um gostinho de satisfação pessoal, mas a oração precisa estar no corpo, formar a carne e o sangue. A oração não é um dever trivial, que se põe de lado; não é uma atividade recortada, feita com fragmentos de tempo que foram arrancados dos negócios e de outros compromissos da vida, mas representa que devemos dar o melhor de nosso tempo, o coração do nosso tempo e força. Não quer dizer que o aposento recluso absorve o estudo nem engole as atividades do dever ministerial, mas quer dizer que o aposento recluso vem em primeiro lugar, o estudo e as atividades em segundo lugar, entendendo-se que o estudo e as atividades são renovados pelo aposento recluso e ali se tornam eficazes. A oração que afeta o ministério de uma pessoa precisa definir o tônus da vida dessa pessoa. A oração que traz colorido e inclina-se para o caráter não é passatempo agradável e apressado. Precisa entrar tão intensamente no coração e na vida quanto entraram o "forte clamor e as lágrimas" de Cristo; precisa extrair a alma e fazê-la adentrar uma agonia de desejo como aconteceu com Paulo; precisa ser o entrelaçamento do fogo com a força, tal como a "oração de um justo é poderosa e eficaz", mencionada por Tiago (5.16); precisa ser de tal qualidade que, quando colocada no incensário de ouro e este for aceso diante de Deus, opera dores de parto e revoluções espirituais.

A oração não é um tecido que foi preso em nós com alfinetes enquanto ficávamos amarrados nas tiras do avental de nossa mãe; tampouco é a graça dita às pressas antes do jantar, mas sim uma obra das mais sérias de nossos anos mais compenetrados. Empenha mais tempo e apetite do que a mais longa das refeições ou dos banquetes mais fartos. A oração que torna nossa pregação grande precisa ser feita como algo grande. O caráter da nossa oração determinará o caráter de nossa pregação. Oração superficial resultará em pregação superficial. A oração robustece a pregação, dá-lhe unção e permanência. Em todos os ministérios que prezam o bem, a oração sempre foi uma questão a ser tratada com seriedade.

O pregador precisa ser predominantemente um homem de oração. Seu coração precisa obter um diploma da escola da oração. Na escola da oração, só o coração consegue aprender a pregar. Nenhuma formação intelectual pode tapar o buraco do fracasso na oração. Nenhum esforço intenso, nenhuma diligência, nenhum estudo, nenhum dom pode suprir o que falta por causa do fracasso em orar.

Falar aos homens em favor de Deus é algo grandioso, mas falar a Deus em favor dos homens é ainda mais grandioso. **Nunca falará bem, e com sucesso real, aos homens em favor de Deus, aquele que não aprendeu bem como falar com Deus em favor dos homens.** Mais do que isso, as palavras desprovidas de oração, no púlpito e fora dele, são palavras de morte.

5

Oração, grandiosa e indispensável

A oração na vida do pregador, no estudo do pregador e no púlpito do pregador precisa ser uma força patente que a tudo permeia, além de ser o ingrediente que a tudo dá colorido. Nunca deve desempenhar papel coadjuvante, nem ser mera casca. É concedido ao pregador passar com seu Senhor "a noite orando a Deus" (Lucas 6.12). O pregador, para treinar-se na oração que o leva a negar a si mesmo, tem a incumbência de olhar para seu Mestre que, de "madrugada, quando ainda estava escuro, [...] levantou-se, saiu de casa e foi para um lugar deserto, onde ficou orando" (Marcos 1.35). O estudo do pregador deve ser como um aposento recluso, um Betel, um altar, uma visão e uma escadaria, para que cada pensamento suba aos céus antes de descer aos homens; para que cada porção do sermão possa ser aromatizada pelo ar dos céus e receba substância, porque Deus estava no estudo.

Assim como o motor nunca se move antes de o fogo ser aceso, da mesma forma a pregação, com todo seu maquinário, perfeição e lustro, está inerte e estacionária, no que se refere aos resultados espirituais, até que a oração tenha acendido e criado o vapor. A textura, a fineza e a força do sermão são como resíduos, a menos que o impulso poderoso da oração esteja nele, por meio dele e detrás dele. Pela oração, o pregador deve incluir Deus no sermão. Pela oração, o pregador deve antes mover Deus em direção ao povo para, depois, por meio de suas palavras, mover o povo em direção a Deus. O pregador precisa ter uma audiência com o Senhor e pronto acesso a Deus antes de obter acesso às pessoas. Para o pregador, um caminho livre para Deus é a mais firme das garantias de ter um caminho livre para as pessoas.

É necessário reiterar que a oração, como mero hábito, como atividade cumprida por rotina ou profissão, é algo morto e fétido. Tal oração não possui vínculo nenhum com a oração que advogamos. Estamos enfatizando a oração verdadeira, que encaixa e inflama todos os altos elementos do ser interior do pregador — a oração que nasce da unidade vital com Cristo e da plenitude do Espírito Santo, que brota das fontes profundas e profusas da terna compaixão e da preocupação imorredoura com o bem eterno do homem; um zelo consumidor pela glória de Deus; uma convicção plena da obra do pregador, difícil e arriscada, e da necessidade imperiosa do mais poderoso auxílio de Deus. Orar com fundamento nessas convicções solenes e profundas é a única maneira verdadeira de orar. A pregação sustentada por tal oração é a única pregação que semeia as sementes da vida eterna no coração dos homens e edifica os homens para o céu.

É verdade que é possível existir pregação popular, pregação agradável, pregação encantadora, pregação com bastante força intelectual, literária e cerebral, com uma medida e forma de bem, com pouca ou nenhuma oração. Mas a pregação que assegura o propósito de Deus precisa começar na oração, desde o texto até o preâmbulo, ser entregue com energia e atitude de oração, acompanhada e tratada para que germine, e ser mantida com força vital no coração dos ouvintes pelas orações do pregador, muito depois que a ocasião tenha passado.

Podemos arranjar desculpas para a pobreza espiritual de nossa pregação de diversas maneiras, mas o segredo verdadeiro se encontrará na falta de oração premente pela presença de Deus no poder do Espírito Santo. Há inúmeros pregadores que podem pregar sermões refinados usando seus métodos. No entanto os efeitos dissipam-se rapidamente e não influenciam nada nas regiões espirituais em que está sendo travada a temida guerra entre Deus e Satanás, céu e inferno, porque os sermões não recebem da oração a capacidade de serem poderosamente combativos e espiritualmente vitoriosos.

Os pregadores que obtêm resultados poderosos para Deus são os homens que prevaleceram em seus apelos para Deus antes de se aventurarem em fazer apelos aos homens. Os pregadores mais poderosos com Deus em seus aposentos reclusos são os mais poderosos em seus púlpitos com os homens.

Pregadores são seres humanos expostos aos fortes ventos das correntezas humanas e, normalmente, são levados por eles. A oração é um trabalho espiritual; e a natureza humana não gosta do árduo trabalho espiritual. A natureza humana quer velejar até o céu com uma brisa suave, em mar calmo e sem sobressaltos. A oração é um trabalho que traz humildade. Ela avilta o intelecto e o orgulho, crucifica a vanglória e sinaliza nossa ruína espiritual, e tudo isso é difícil para carne e sangue suportarem. É mais fácil não orar do que suportar tais coisas. Então chegamos a um dos males clamorosos destes tempos, talvez de todos os tempos — pouca ou nenhuma oração. Desses dois males, talvez pouca oração seja pior que oração nenhuma. Pouca oração é uma espécie de faz de conta, um salvo-conduto para a consciência, uma farsa e uma ilusão.

A pouca estima que temos pela oração fica evidente no pouco tempo que devotamos a ela. O tempo dedicado à oração pelo pregador médio mal influencia o total diário de oração. Não raro, a única oração do pregador é ao lado da cama, de pijamas, pronto para se deitar, e ele logo se deita. Talvez se adicione à lista uns poucos e apressados fragmentos de oração antes de se vestir pela manhã. Quão débil, vã e insuficiente é tal oração comparada ao tempo e à energia dedicados à oração por homens santos, seja na Bíblia seja fora dela! Como é pobre e maldosa nossa oração trivial e infantil se posta ao lado dos hábitos dos verdadeiros homens de Deus em todos os tempos! Aos homens que creem ser a oração sua atividade principal, e que dedicam tempo a ela de acordo com a alta estima que lhe têm, Deus confia as chaves de seu Reino, e, por eles, faz maravilhas espirituais neste mundo. Oração grandiosa é o sinal e o selo dos grandes líderes de Deus, e da determinação das forças conquistadoras com as quais Deus coroa o trabalho árduo feito por eles.

O pregador é comissionado tanto para orar quanto para pregar. Sua missão fica incompleta se não fizer bem as duas coisas. O pregador pode falar com toda a eloquência dos homens e dos anjos, mas, a menos que consiga orar com fé que arraste todo o céu em seu auxílio, sua pregação será "como o sino que ressoa ou como o prato que retine (1Coríntios 13.1)" na tarefa permanente de honrar a Deus e de salvar almas.

6

Um ministério de oração bem-sucedido

Pode-se estabelecer como axioma espiritual que, em todo ministério de oração verdadeiramente bem-sucedido, encontra-se uma força evidente e direcionadora — evidente e direcionadora na vida do pregador, evidente e controladora na espiritualidade profunda de seu trabalho. Um ministério pode ser um ministério muito solícito sem oração; o pregador pode granjear fama e popularidade sem oração; todo o maquinário da vida e do trabalho do pregador pode funcionar sem o lubrificante da oração ou com uma graxa que quase não é suficiente para uma engrenagem. Nenhum ministério, porém, pode ser espiritual, assegurando santidade ao pregador e a seu povo, sem que a oração seja uma força evidente e direcionadora.

O pregador que ora, de fato, põe Deus dentro da obra. Deus não entra na obra do pregador por inércia ou por princípios gerais, mas achega-se pela oração e pela intensa sensação de urgência. Que Deus será encontrado por nós no dia em que o buscarmos de todo coração é tão verdadeiro para o pregador quanto para o penitente. Um ministério de oração é o único ministério que põe o pregador em sintonia com o povo. A oração une-se tão essencialmente ao humano quando se une ao divino. Um ministério de oração é o único ministério qualificado para os altos ofícios e responsabilidades do pregador. Faculdades, aprendizagem, livros, teologia e pregações não conseguem fazer um pregador, mas a oração tem essa tendência. A comissão dos apóstolos para pregar era uma lacuna em branco preenchida pelo Pentecoste, trazido a efeito pela oração.

O ministro que ora ultrapassa as regiões do popular, vai além do homem de assuntos triviais, das secularidades, da atratividade do púlpito; além do organizador ou general eclesiástico, e atinge uma região mais sublime e poderosa, a região do espiritual. A santidade é o produto de sua obra; o coração e a vida de pessoas transfiguradas enaltecem a realidade e a natureza genuína e substanciosa de seu trabalho. Deus está com ele. Seu ministério não foi projetado sobre princípios mundanos ou superficiais. Ele está profundamente suprido nas coisas de Deus, está profundamente instruído nessas coisas. Seus longos e profundos momentos de comunhão com Deus a respeito de seu povo, aliados à agonia de um espírito que se debate, o coroaram como príncipe nas coisas de Deus. A gelidez do mero profissional há muito dissipou-se ante a intensidade de sua oração.

Os resultados superficiais de muitos ministérios e o entorpecimento de outros devem ser atribuídos à falta de oração. Nenhum ministério pode ser bem-sucedido sem muita oração, e essa oração precisa servir de fundamento, sempre persistindo e crescendo. O texto — ou seja, o sermão — deve ser resultado da oração. O estudo deve estar embebido na oração, todos os seus deveres impregnados de oração, todo o espírito em atitude de oração. "Sinto muito por ter orado tão pouco", foi o que expressou um dos escolhidos de Deus em seu leito de morte, um remorso triste e arrependido vindo de um pregador. "Quero uma vida de oração mais grandiosa, profunda e verdadeira", foi o que disse o já falecido arcebispo Tait. Todos podemos chegar a dizer isso, mas espero que todos nós possamos obter essa vida de oração.

Os verdadeiros pregadores de Deus distinguiram-se por um traço grandioso: eles foram homens de oração. Normalmente diferindo em diversos aspectos, eles sempre tiveram um ponto em comum. Podem ter partido de pontos diferentes e percorrido estradas diferentes, mas convergiram em um ponto: na oração. Para eles, Deus era o centro de atração, e a oração era o caminho que levava a Deus. Esses homens não oravam ocasionalmente, não oravam pouco nem em momentos díspares, mas oravam de maneira que as orações influenciaram seu caráter e os moldaram; oravam de maneira a afetar a própria vida e a vida de outros; oraram de maneira a fazer a história da igreja e a influenciar a corrente dos tempos. Eles gastavam muito tempo em oração — não porque marcavam a sombra no relógio de sol ou os minutos no relógio comum —, mas porque para eles a oração era uma atividade tão relevante e envolvente que mal conseguiam se afastar dela.

A oração para eles representava o mesmo que representava para Paulo: um esforço consumado da alma; o que era para Jacó: lutar e prevalecer; o que era para Cristo: "orações e súplicas, em alta voz e com lágrimas" (Hebreus 5.7). Eles oravam "no Espírito em todas as ocasiões, com toda oração e súplica; tendo isso em mente, estejam atentos e perseverem na oração por todos os santos" (Efésios 6.18). O lema "a oração de um justo é poderosa e eficaz" (Tiago 5.16) tem sido a arma mais poderosa dos mais poderosos soldados de Deus. A afirmação referente a Elias — que ele "era humano como nós. Ele orou fervorosamente para que não chovesse, e não choveu sobre a terra durante três anos e meio. Orou outra vez, e os céus enviaram chuva, e a terra produziu os seus frutos" (Tiago 5.17,18) — abrange todos os profetas e pregadores que moveram a própria geração para Deus e mostra o instrumento com o qual operaram maravilhas.

7
Deve-se devotar muito tempo à oração

Embora muitas orações em privado, pela natureza das coisas, devam ser breves; embora orações em público, como regra, devam ser curtas e concisas; embora haja espaço e se dê valor à oração relâmpago — ainda assim, em nossa comunhão pessoal com Deus, o tempo é um fator essencial que lhe confere valor. Muito tempo gasto com Deus é o segredo de toda oração que dá resultado. A oração percebida como força poderosa é o produto mediato ou imediato de muito tempo gasto com Deus. As orações breves devem seu escopo e eficiência às orações longas que as precederam. A oração curta e eficaz não pode ser feita por aquele que não insistiu com Deus até obter resposta em uma luta ferrenha e de longa duração.

A vitória de fé de Jacó não poderia acontecer sem a luta que durou toda a noite. A familiaridade com Deus não surge de contatos esporádicos. Deus não confere suas dádivas aos transeuntes ocasionais ou apressados. Muito tempo unicamente na presença de Deus é o segredo para conhecê-lo e para influenciá-lo. Ele se inclina à persistência de uma fé que o conhece. Confere suas dádivas mais ricas àqueles que manifestam desejar essas dádivas, que as apreciam, pela constância e pela avidez com que o importunam.

Cristo, que nesta e em outras coisas é nosso exemplo, passou muitas noites em oração. Seu hábito era orar bastante. Ele tinha um local costumeiro de oração. Muitas sessões longas de oração compõem sua história e caráter. Paulo orava de dia e de noite. Para Daniel orar três vezes ao dia, foi necessário diminuir o tempo de diversos assuntos muito importantes. Não há dúvidas que as orações matinais, vespertinas e noturnas de Davi, em muitas ocasiões, eram bastante prolongadas. Embora não tenhamos detalhes sobre o tempo que esses santos da Bíblia gastavam em oração, há indicativos de que passavam muito tempo orando, e, em algumas circunstâncias, longas temporadas de oração eram o costumeiro.

Não desejamos que ninguém pense que o valor das orações desses homens seja medido pelo relógio, mas nosso propósito é ressaltar em nossa mente a necessidade de passar bastante tempo a sós com Deus; e que, se esse traço não foi produzido por nossa fé, então nossa fé é do tipo débil e superficial.

Os homens que mais plenamente manifestaram Cristo em seu caráter e que afetaram mais poderosamente o mundo em favor dele foram os homens que gastaram tanto tempo com Deus que fizeram disso uma característica notável em sua vida. Charles Simeon devotava-se a Deus das quatro às oito da manhã. O sr. Wesley passava duas horas diárias em oração. Começava às quatro da madrugada. A seu respeito, escreveu o seguinte a alguém que o conhecia bem: "Ele considerava que a oração era, das suas atividades, a mais preponderante, e já o vi sair de seu aposento recluso com uma serenidade no rosto que beirava o brilho". John Fletcher manchava as paredes de seu quarto com o sopro de suas orações. Às vezes orava a noite toda; sempre, frequentemente, e com grande ardor. Toda sua vida foi uma vida de oração. "Não me levantava da cadeira" — disse ele — "sem elevar meu coração a Deus". Sua saudação a um amigo era sempre esta: "Encontro-o em oração?". Lutero afirmou: "Se não gastar duas horas em oração todas as manhãs, o Diabo obtém sua vitória naquele dia.

Tenho tantos afazeres que não consigo prosseguir sem passar três horas em oração, todos os dias". Ele tinha um lema: "Aquele que orou bem também estudou bem".

O arcebispo Leighton passava tanto tempo a sós com Deus que parecia estar perpetuamente em meditação. "Oração e louvor eram seus afazeres e seu prazer", disse seu biógrafo. O bispo Ken passava tanto tempo com Deus que se dizia ter a alma cativada de encantos por Deus. Ele estava na presença de Deus antes de o relógio bater três da madrugada. O bispo Asbury disse: "Proponho-me a levantar às quatro da madrugada sempre que puder e passar duas horas orando e meditando". Samuel Rutherford, cuja piedade exalava uma ainda intensa fragrância, levantava às três da manhã para se encontrar com Deus em oração. Joseph Alleine levantava às quatro da madrugada e orava até as oito da manhã. Se ele ouvisse outros comerciantes ocupando-se de suas atividades antes de levantar-se, exclamava: "Ah, como isso me envergonha! Meu Mestre não merece mais do que o mestre deles?". Aquele que aprendeu bem seu ofício faz retiradas à vontade, à vista, e com a aprovação do infalível banco do céu.

Diz um dos mais santos entre os mais dotados dos pregadores escoceses: "Devo passar as melhores horas em comunhão com Deus. É minha ocupação mais nobre e frutífera, e não deve ser posta de lado. As horas da manhã, das seis às oito, são as horas com menos interrupções e devem ser empregadas dessa maneira. Minha melhor hora é depois do chá, e esta deve ser solenemente dedicada a Deus. Não devo abrir mão do velho e bom hábito de orar antes de dormir, mas devo manter guarda alta contra o sono. Quando acordo de noite, devo levantar-me e orar. Um pouco de tempo depois do café da manhã deve ser dedicado à intercessão". Este é o plano de oração de Robert McCheyne. Na oração, a memorável turma metodista faz-nos passar vergonha. "Das quatro às cinco da madrugada, oração individual; das cinco às seis da tarde, oração individual."

John Welch, o santo e maravilhoso pregador escocês, considerava o dia improdutivo caso não passasse oito ou dez horas em oração. Ele mantinha um xale no qual poderia se enrolar quando levantasse de noite para orar. Sua esposa queixava-se quando o encontrava deitado no chão, aos prantos. Ele dizia: "Ah, mulher, tenho de dar satisfação de três mil almas e não sei como andam as coisas para muitas delas!".

8

Exemplos de homens de oração

O bispo Wilson disse: "As primeiras coisas que me impactaram no diário de H. Martyn foram o espírito de oração, o tempo devotado aos deveres e seu fervor".

Payson fez sulcos nas pranchas de madeira rígida em que seus joelhos se apoiaram com tanta frequência e por tanto tempo. Seu biógrafo disse: "Sua contínua insistência na oração, quaisquer que fossem as circunstâncias, é o fato mais notável de sua história, e isso serve para indicar o dever de todos os que queiram igualar essa distinção. Às orações ardorosas e perseverantes, deve-se, sem dúvida, atribuir em grande medida seu afamado e quase ininterrupto sucesso".

O marquês DeRenty, para quem Cristo era a maior preciosidade, pediu a seu servo que o chamasse de suas devoções ao fim de meia hora. Certa vez, o servo viu seu rosto por uma abertura. Estava marcada por tal santidade que sentiu aversão à ideia de interrompê-lo. Seus lábios mexiam-se, mas ele estava totalmente quieto. Esperou, até que três horas se passaram e, só depois, o chamou. Quando se levantou de sua posição ajoelhada, disse que meia hora era pouco quando estava comungando com Cristo.

Brainerd disse: "Adoro ficar a sós em minha cabana, pois ali posso passar muito tempo em oração".

William Bramwell é famoso nas crônicas metodistas por sua santidade pessoal, por seu sucesso fantástico na pregação e também pelas maravilhosas respostas de oração. Orava durante horas. Ele quase vivia de joelhos. Cumpria sua rotina como se fosse uma chama de fogo. O fogo era aceso pelo tempo em que passava orando. Era costumeiro passar até quatro horas em um único período de oração reclusa.

O bispo Andrewes passava quase cinco horas, todos os dias, em oração e momentos devocionais.

Sir Henry Havelock sempre passava as duas primeiras horas de cada dia a sós com Deus. Se o acampamento fosse marcado para as seis da manhã, levantava-se às quatro.

Earl Cairns levantava-se às seis da manhã para garantir uma hora e meia de estudo da Bíblia e oração, antes de conduzir um culto doméstico às quinze para as oito.

O sucesso do dr. Judson na oração pode ser atribuído ao fato de devotar muito tempo à oração. Ele diz a esta altura:

> Arranje sua agenda, se possível, de modo que possa confortavelmente devotar duas ou três horas, todos os dias, não meramente a exercícios devocionais, mas ao próprio ato da oração em secreto e da comunhão com Deus. Empenhe-se e afaste-se sete vezes no dia dos afazeres para ficar na companhia de Deus e para elevar sua alma a ele, em retiro individual. Comece o dia levantando-se depois da meia-noite e dedicando a essa obra sagrada algum tempo no silêncio e na escuridão da noite. Que os primeiros minutos da alvorada encontrem-no na mesma obra. Que você seja visto fazendo o mesmo às 9, às 12, às 15, às 18 e às 21 horas. Seja resoluto quanto a esse assunto. Faça todos os sacrifícios viáveis para manter tal rotina. Considere que o tempo é

curto e que os negócios e os afazeres não devem ter permissão de roubá-lo de Deus.

"Impossível, orientações para fanáticos!", é o que dizemos. O dr. Judson comoveu um império para Cristo e lançou a fundação do Reino de Deus com o indestrutível granito no coração de Burma. Ele foi bem-sucedido, um dos poucos homens que poderosamente estamparam a marca de Cristo no mundo. Muitos homens com mais dons, genialidade e instrução que ele não criaram tal impressão; sua obra religiosa é como pegadas na areia, mas ele entalhou sua obra na pedra com diamante. O segredo de sua profundidade e resistência encontra-se no fato de separar tempo para a oração. Manteve o ferro vermelho de tão incandescente, e a habilidade de Deus deu forma ao ferro com força duradoura. Nenhum homem pode fazer uma obra grandiosa e duradoura para Deus se não for um homem de oração; e nenhum homem pode ser um homem de oração se não devotar muito tempo à oração.

É verdade que a oração é simplesmente conformar-se ao hábito insosso e mecânico? Um desempenho pífio, no qual fomos treinados até que a submissão, a pequenez e a superficialidade sejam os elementos principais? "É a oração verdadeira, como se pressupõe, pouco mais do que fluxo indolente de sentimentalismo que escorre languidamente ao longo dos minutos ou das horas de cômodo devaneio?" Canon Liddon continua: "Que respondam aqueles que realmente oraram. Às vezes, descrevem a oração com o patriarca Jacó em uma luta contra um poder Invisível, que não raro, em uma vida sinceramente dedicada a Deus, pode durar até altas horas da noite, ou mesmo até o começo do dia seguinte. Às vezes referem-se à intercessão comum com Paulo como uma luta conjunta. Quando oram, mantêm os olhos fixos no Grande Intercessor no Getsêmani, nas gotas de sangue que caem no chão naquela agonia, na resignação e no sacrifício. Ser importuno é a essência da oração bem-sucedida. Ser importuno não quer dizer viver em sonhos, mas em trabalho contínuo. É especialmente por meio da oração que o Reino do céu sofre violência, e o violento o toma pela força". O falecido bispo Hamilton costumava dizer o seguinte: "Não é provável que um homem realize grande coisa na oração se não começar olhando para ela à luz do trabalho que precisa de preparação e perseverança, com toda a dedicação que empregamos nos assuntos que, em nossa opinião, são ao mesmo tempo os mais interessantes e necessários".

9

Comece o dia orando

Os homens que mais fizeram por Deus neste mundo foram os que logo cedo estavam de joelhos. Aquele que gasta à toa a madrugada, sua oportunidade e seu frescor, em outros afazeres que não o de buscar Deus, fará progressos acanhados quando o buscarem no restante do dia. Se Deus não for a primeira coisa em nosso pensamento e esforços pela manhã, ele ficará em último lugar no restante do dia.

O desejo ardoroso que nos impulsiona nessa busca por Deus está por trás daquele que se levanta bem cedo para orar. A desatenção pela manhã é o indicador de um coração desatento. O coração que tarda em buscar a Deus pela manhã perdeu o apetite por Deus. O coração de Davi tinha ardor por buscar a Deus. Sentia fome e sede de Deus e, por isso, ele buscava a Deus bem cedo, antes da luz do dia. A cama e o sono não conseguiam aprisionar sua alma nem sua avidez por Deus. Cristo ansiava por comungar com Deus; e assim, levantando-se bem antes de clarear, ia para montanha orar. Os discípulos, quando totalmente despertos e envergonhados por cederem à indisciplina, sabiam onde encontrá-lo. Podemos percorrer a lista de homens que causaram uma impressão poderosa no mundo em favor de Deus e descobriremos que esses homens, bem cedo, já estavam em busca de Deus.

O desejo por Deus que não consegue romper as cadeias do sono é coisa débil e fará pouco em favor de Deus depois de ter se entregado inteiramente ao desleixo. O desejo por Deus que nos deixa tão atrás do Diabo e do mundo logo no início do dia nunca compensará o que se perdeu.

Não é simplesmente levantar-se que põe os homens à frente e faz deles generais nos exércitos de Deus, mas sim o desejo ardoroso que agita e rompe todas as cadeias do desleixo. Mas levantar da cama dá vazão, substância e força ao desejo. Se tivessem ficado na cama e cedido ao desleixo, o desejo teria se extinguido. O desejo animou-os, e esticaram-se para alcançar Deus, e tal atenção prestativa ao chamado deu à sua fé firmeza em Deus, e deu ao seu coração a mais doce e plena revelação de Deus e essa fortaleza de fé e plenitude de revelação fez deles santos por eminência, e sua aura de prestígio da santidade desceu até nós, e entramos no desfrute de suas conquistas. Mas nossa parte está no usufruto, não na realização. Construímos as tumbas desses homens e escrevemos epitáfios para eles, mas tomamos o devido cuidado de não seguir o exemplo que deram.

Precisamos de uma geração de pregadores que busca a Deus e que o busca durante a madrugada, que ofereça o frescor e o orvalho do esforço para Deus, e garanta em retorno o frescor e a plenitude de seu poder para que Deus lhes sirva de orvalho, repleto de alegria e força, ao longo do calor e do trabalho pesado do dia. Nossa preguiça diante de Deus é um pecado clamoroso. As crianças deste mundo são muito mais sábias que nós. Elas se envolvem logo e também tardiamente. Não buscamos a Deus com ardor e diligência. Nenhum homem se achega a Deus se não o seguir com intensidade; e nenhuma alma segue a Deus com intensidade se não o buscar cedo de manhã.

10

A união da oração com a dedicação

Nunca houve maior necessidade de homens e mulheres de santidade; ainda mais imperioso é o chamado para pregadores santos e dedicados a Deus. O mundo move-se a passos largos. Satanás prende o mundo e o governa, trabalhando com afinco para fazer todos os seus movimentos servirem a seus fins. A religião precisa fazer sua melhor obra, apresentar seus modelos mais atraentes e perfeitos. Por todos os meios existentes, a santidade moderna precisa ser inspirada pelos ideais mais altivos e pelas possibilidades mais amplas mediante o Espírito.

Paulo vivia de joelhos para que a igreja de Éfeso pudesse medir a altura, a largura e a profundidade de uma santidade imensurável, e fosse cheia "de toda a plenitude de Deus "(Efésios 3.19) Epafras entregou-se à tarefa laboriosa e ao conflito extenuante da oração fervorosa para que os irmãos da igreja de Colossos pudessem ser "firmes em toda vontade de Deus" (Colossenses 4.12). Nos tempos apostólicos, em todo lugar, e em tudo, havia o esforço para que o povo de Deus pudesse, cada um e todos, alcançar "a unidade da fé e do conhecimento do Filho de Deus, e cheg[ar] à maturidade, atingindo a medida da plenitude de Cristo" (Efésios 4.13). Os anões não eram premiados, nenhum incentivo era dado à infância prolongada. Os bebês deveriam crescer; os velhos, em vez de debilidades e enfermidades, deveriam dar frutos na idade avançada para florescer e ser abundantes. A coisa mais divina na religião são homens santos e mulheres santas.

Nenhuma soma de dinheiro, espírito humano ou cultura pode mover as coisas para Deus. Santidade energizando a alma, o homem por inteiro inflamado de amor, com desejo por mais fé, mais oração, mais zelo, mais consagração — este é o segredo do poder. Dessas coisas temos necessidade, e precisamos tê-las, e os homens precisam ser a encarnação dessa devoção inflamada por Deus. O progresso de Deus é impedido; sua causa, solapada; e seu nome, desonrado pela falta dessas coisas. Genialidade (mesmo a mais altiva e mais talentosa), educação (mesmo os mais instruídos e refinados), posição, dignidade, lugar, nomes de honra, altos postos eclesiásticos não podem puxar essa carruagem de nosso Deus. É uma carruagem abrasadora, e somente forças abrasadoras podem movimentá-la. A genialidade de um Milton fracassa. A força imperial de um papa Leão III fracassa. O espírito de Brainerd pode colocá-la em movimento. O espírito de Brainerd estava em fogo por Deus, abrasado pelas almas. Nada que seja terreno, mundano e egoísta chegou a mitigar o mínimo que fosse a intensidade dessa força e chama que a tudo impulsiona e consome.

A oração é a criadora e também o canal da devoção. O espírito da devoção é o espírito da oração. A oração e a devoção estão tão unidas quanto alma e corpo, estão tão unidas quanto vida e coração. **Não existe nenhuma oração verdadeira sem devoção, nenhuma devoção sem oração.** O pregador precisa render-se a Deus na mais santa das devoções. Ele não é um profissional, seu ministério não é uma profissão, mas sim uma instituição divina, uma devoção divina. É devotado a Deus. Seus objetivos, aspirações e ambições são em favor de Deus e para Deus, e, para tanto, a oração é tão essencial quanto a comida o é para a vida.

Acima de tudo o mais, o pregador precisa ser devotado a Deus. As relações do pregador com Deus são as insígnias e credenciais de seu ministério. Precisam ser evidentes, conclusivas e inequívocas. Nada de superficial ou comum pode haver na piedade do pregador. Se ele não se destaca na graça, não se destaca em nada. Se ele não prega com a vida, com o caráter e com a conduta, nem sequer prega. Se sua piedade for suave, sua pregação pode ser tão macia e doce quanto a música, tão talentosa quanto Apolo, e, ainda assim, seu peso será o peso de uma pena, visionária e fugaz como a nuvem da manhã ou o orvalho da madrugada.

A devoção a Deus — nada a substitui no caráter e na conduta do pregador. Devoção à igreja, opiniões, organizações ou ortodoxia — tudo é vil, vão e conducente a erro quando se torna a fonte da inspiração, o *animus* de um chamado. Deus deve ser a principal mola impulsionadora dos esforços do pregador, a fonte e a coroa de todo seu trabalho laborioso. O nome e a honra de Jesus Cristo, o progresso de sua causa, precisam ser tudo em todos. O pregador não deve ter nenhuma inspiração que não o nome de Jesus Cristo, nenhuma ambição que não seja vê-lo glorificado, nenhum trabalho árduo que não seja para ele. Então a oração será uma fonte de suas iluminações, os meios do progresso perpétuo, a medida de seu sucesso. O alvo perpétuo, a única ambição que o pregador pode alimentar é ter Deus consigo.

Nunca a causa de Deus precisou mais de ilustrações perfeitas das possibilidades da oração do que nesta época. Nenhuma época ou pessoa servirá de exemplo do poder do evangelho a não ser pessoas, ou uma época, que oram com profundidade e avidez. Uma época desprovida de oração não terá mais do que modelos escassos do poder divino. O coração desprovido de oração nunca alcançará as alturas dos Alpes. Esta época pode ser uma época melhor do que o passado, mas existe uma distância infinita entre o progresso de uma época pela força de uma civilização em expansão e o progresso por meio do aumento da santidade e da semelhança com Cristo mediante a energia da oração.

Os judeus eram muito melhores quando Cristo veio do que foram em épocas anteriores. Foi o período de ouro da religião farisaica. O período de ouro da religião crucificou Cristo. Nunca mais oração, nunca menos oração; nunca mais sacrifícios, nunca menos sacrifícios; nunca menos idolatria, nunca mais idolatria; nunca mais adoração no templo, nunca menos adoração a Deus; nunca mais culto da boca para fora, nunca menos culto com o coração (Deus adorado por lábios cujo coração e cujas mãos crucificaram o Filho de Deus!); nunca mais frequentadores de igreja, nunca menos santos.

É a força insuflada pela oração que cria santos. Personagens santos são formados pelo poder da oração verdadeira. Quanto mais houver santos legítimos, mais oração haverá; quanto mais oração, mais santos legítimos.

11

Um exemplo de dedicação

Deus tem hoje, e tem tido, muitos desses pregadores dedicados, com atitude de oração — homens em cuja vida a oração é uma força poderosa, direcionadora e patente. O mundo sentiu seu poder, Deus sentiu e honrou seu poder, a causa divina prosseguiu poderosa e velozmente pelas orações que fizeram, a santidade brilhou, com um esplendor divino, por causa de seu caráter.

Deus encontrou um destes que procurava em David Brainerd, cuja obra e cujo nome entraram para a história. Ele nada tinha de ordinário, era capaz de brilhar em qualquer companhia, um igual entre os sábios e talentosos, combinava muito bem com os púlpitos mais atrativos e com o trabalho entre pessoas refinadas e de cultura, ansiosas para assegurar que ele fosse seu pastor. O presidente Edwards dá testemunho de que ele era "um jovem de muitos talentos notáveis, possuía conhecimento extraordinário sobre homens e coisas, tinha raros poderes de conversação, sobressaiu-se no conhecimento teológico e era verdadeiramente, para alguém tão jovem, um sacerdote extraordinário, especialmente em todas as questões relacionadas com a religião experimental. Nunca conheci um da mesma idade que lhe fosse igual; ele defendia conceitos claros e precisos da natureza e da essência da religião verdadeira. Sua conduta na oração era quase inimitável, tal como muito raramente vi igual. Sua erudição era bastante considerável, e tinha dons extraordinários para o púlpito".

Nenhuma história mais sublime já foi registrada nas crônicas terrenas do que a história de David Brainerd; nenhum milagre atesta com intensidade mais divina a verdade do cristianismo do que a vida e obra desse homem. Sozinho, em terras selvagens na América, lutando dia e noite contra uma doença mortal, sem preparo formal para o cuidado de almas, tendo acesso aos índios na maior parte do tempo apenas por meio de um intérprete pagão desleixado, com a Palavra de Deus no coração e nas mãos, sua alma ardia, com a chama divina, por um lugar e um tempo em que pudesse derramá-la em oração diante de Deus; estabeleceu a adoração a Deus e assegurou resultados benevolentes. Os índios passaram por grandes mudanças, da mais vil intoxicação por um paganismo ignorante e degradante até se tornarem cristãos puros, devotos e inteligentes; todos os hábitos condenáveis foram abandonados; os deveres externos do cristianismo, de uma só vez, adotados e seguidos; a oração em família, estabelecida; o sábado, instituído e observado religiosamente; as graças internas da religião, exibidas com crescente doçura e força.

A explicação desses resultados encontra-se no próprio David Brainerd, não nas condições ou no acaso, mas no homem Brainerd. Ele era homem de Deus, Deus em primeiro e último lugares, e o tempo todo. Deus podia fluir sem obstáculos por intermédio dele. A onipotência da graça não era interrompida nem estreitada pelas condições de seu coração; todo o canal foi alargado e limpo para Deus passar da maneira mais direta e poderosa, para que o Senhor com todas as suas forças poderosas pudesse descer sobre os desesperançados, sobre a terra selvagem, e transformá-la em um jardim florescente e frutífero; pois nada é difícil demais para Deus se ele conseguir o homem certo com quem operar.

Um exemplo de dedicação

Brainerd viveu uma vida de santidade e oração. Seu diário tem registros abundantes e monótonos relatando períodos de jejum, meditação e retiro. O tempo gasto em oração privativa chegava a muitas horas por dia. "Quando volto para casa", disse ele, "e entrego-me à meditação, à oração e ao jejum, minha alma anseia por mortificação, autonegação, humildade e separação de todas as coisas do mundo". E disse também: "Não tenho nada que ver com a terra, mas somente com o trabalho dedicado e honesto para Deus na terra. Não desejo viver um único minuto por qualquer coisa que a terra possa proporcionar".

Depois de estar nessa condição elevada, orou:

> Sentindo algo da doçura da comunhão com Deus, e a força constrangedora de seu amor, e quão admiravelmente esse amor cativa a alma e faz com que todos os desejos e afeições tenham o centro em Deus, separo este dia para jejum e oração secretos. Rogo que Deus me direcione e abençoe com respeito à obra grandiosa que tenho em vista — a pregação do evangelho — e que o Senhor se volte para mim e mostre-me a luz de seu semblante. Tive pouca vida e poder pela manhã. Perto do meio da tarde, Deus permitiu-me lutar ardentemente em intercessão por meus amigos ausentes, mas foi somente à noite que o Senhor me visitou maravilhosamente em oração. Creio que minha alma nunca esteve em tal aflição antes. Não senti nenhuma amarra, pois os tesouros da graça divina abriram-se para mim. Lutei por meus amigos ausentes, pela ceifa das almas, pela multidão de almas indigentes e por muitos que pensei serem filhos de Deus, pessoalmente, em muitos lugares distantes. Fiquei em tal agonia do começo da tarde até quase o anoitecer que fiquei ensopado de suor, e, mesmo assim, pareceu que não tinha feito nada. Ah, meu doce Salvador suou gotas de sangue pelas almas indigentes! Senti o anseio de que eles recebessem mais compaixão. Senti-me aquietado em uma doce disposição de espírito, sob um senso de

amor e graça divinos, e fui deitar-me em tal disposição de espírito, com meu coração ligado ao de Deus.

Foi a oração que deu à sua vida e ao seu ministério poder maravilhoso.

Os homens de oração poderosa são homens de poder espiritual. As orações nunca morrem. Toda a vida de Brainerd foi uma vida de oração. Ele orava de dia e de noite. Orava antes e depois de pregar. Orava enquanto cavalgava pelos intermináveis lugares ermos da floresta. Orava em sua cama de palha. Orava quando se retirava para as florestas densas e solitárias. Hora a hora, dia a dia, cedo de manhã e tarde da noite, ele estava orando e jejuado, derramando sua alma, intercedendo, comungando com Deus. Ele estava poderosamente com Deus em oração, e o Senhor estava poderosamente com ele, e, por isso, ele ainda fala e trabalha mesmo estando morto, e falará e trabalhará até que chegue o fim, e, entre os gloriosos daquele dia glorioso, ele estará entre os primeiros.

Jonathan Edwards disse a respeito dele:

> Sua vida mostra o caminho certo para o sucesso nas obras do ministério. Ele o buscou como o soldado busca a vitória em um cerco ou batalha; ou como um homem que disputa uma corrida por um grande prêmio. Animado com amor por Cristo e pelas almas, como ele trabalhou? Sempre com fervor. Não somente em palavra e doutrina, em público e em particular, mas em orações de dia e de noite, lutando com Deus em segredo e tendo contrações de parto com gemidos e aflições indizíveis, até que Cristo fosse formado nos corações do povo para quem fora enviado. Como um legítimo filho de Jacó, ele perseverou na luta durante toda a escuridão da noite, até que rompesse o dia!

12

É preciso preparar o coração

A oração, com suas forças multiformes e de aspectos variados, ajuda a boca a pronunciar a verdade com plenitude e liberdade. Deve-se orar pelo pregador; o pregador faz-se com oração. Deve-se orar pela boca do pregador; sua boca deve ser aberta e preenchida com orações. Uma boca santificada faz-se com oração, com muita oração; uma boca intrépida faz-se com oração, muita oração. A igreja e o mundo, Deus e o céu, devem muito à boca de Paulo; a boca de Paulo deve seu poder à oração.

Quão multiforme, ilimitável, valorosa e útil é a oração para o pregador de tantas maneiras diferentes, em tantas ocasiões, em todos os caminhos! Grande é seu valor, serve de apoio para o coração.

A oração faz do pregador um pregador que prega com o coração. A oração põe o coração do pregador no sermão do pregador; a oração põe o sermão do pregador no coração do pregador.

O coração faz o pregador. Grande é o coração dos grandes pregadores. Homens com o coração contaminado trazem benefícios em alguma medida, mas é coisa rara. O estranho, ou aquele que só se interessa pelo dinheiro, pode em alguma situação ajudar as ovelhas, mas é o bom pastor com coração de bom pastor que abençoa a ovelha e cumpre plenamente as atribuições do pastor.

Enfatizamos a preparação do sermão e perdemos de vista algo importante a ser preparado — o coração. Um coração preparado é bem melhor que um sermão preparado. Um coração preparado criará um sermão preparado.

Incontáveis linhas já foram escritas definindo a mecânica e o sabor da preparação de um sermão, até que nos deixamos tomar pela ideia de que tal andaime é o edifício. Ensina-se o jovem pregador a pôr toda sua energia na forma, no sabor e na beleza de seu sermão, como se fosse um produto mecânico e intelectual. Temos assim cultivado um gosto nocivo entre as pessoas e levantado um clamor pelo talento, em lugar da graça; pela eloquência, em lugar da piedade; pela retórica, em lugar da revelação; pela reputação e brilhantismo, em lugar da santidade. Assim, perdemos o verdadeiro conceito da pregação, perdemos o poder de pregar, perdemos a convicção cáustica do pecado, perdemos a experiência rica e o elevado caráter cristão, perdemos a autoridade sobre a consciência e a vida, o resultado da pregação genuína.

De nada adianta dizer que os pregadores estudam demais. Alguns não estudam nada; outros não estudam o suficiente. Inúmeros deles não estudam a maneira correta para se mostrarem obreiros aprovados por Deus. Mas o que muito nos falta não é a cultura da mente, mas a cultura do coração; nosso defeito deprimente e revelador não é falta de conhecimento, e sim a falta de santidade — não que saibamos demais, e sim que não meditamos a respeito de Deus e sua Palavra, pois não vigiamos, não jejuamos e não oramos o suficiente. O coração é o grande impedimento de nossa pregação. Palavras prenhes da verdade divina encontram passagens obstruídas em nosso coração; aprisionadas, desabam prematuramente e perdem o poder.

Pode a ambição, que persegue com luxúria o elogio e a posição, pregar o evangelho daquele que não criou para si nenhuma reputação e assumiu a forma de um servo? Pode o orgulhoso, o presunçoso, o egoísta pregar o evangelho daquele que era manso e humilde? Pode o homem de temperamento ruim, o irascível, o egoísta, o difícil e o mundano pregar o sistema que fervilha de longanimidade, autonegação e ternura que, imperativamente, exige o distanciamento da animosidade e a crucificação para o mundo? Pode o clérigo mercenário, sem coração ou negligente, pregar o evangelho que exige do pastor que dê sua vida pelas ovelhas? Pode o homem cobiçoso, que conta salário e dinheiro, pregar o evangelho até juntar os pedaços de seu coração e poder repetir, no espírito de Cristo e Paulo, as palavras de Wesley: "Conto como esterco e refugo; piso com meus pés; eu (não eu, mas a graça de Deus em mim) estimo isso como a lama das ruas, não desejo e não busco"? A revelação de Deus não precisa da luz do espírito humano, o lustro e o vigor da cultura humana, o brilhantismo do pensamento humano, a força do cérebro humano para enfeitá-la ou fazê-la executar; de fato, exige a simplicidade, a docilidade, a humildade e a fé do coração de uma criança.

Foram a rendição e a subordinação do intelecto e do espírito humano às forças divinas e espirituais que fizeram de Paulo um apóstolo ímpar. Foi isso que deu a Wesley esse poder, o que estabeleceu firmemente seu trabalho árduo na história da humanidade. Isso deu a Loiola a força para aprisionar as forças do catolicismo que batiam em retirada.

Nossa grande necessidade é preparar o coração. Lutero tomou isto como axioma: "Aquele que orou bem, estudou bem". Não estamos afirmando que os homens não devem pensar nem usar o intelecto, mas *emprega melhor o intelecto aquele que melhor cultiva o coração*. Não estamos dizendo que os pregadores não devem ser estudiosos, mas estamos dizendo que o grande estudo deles deve ser a Bíblia, e estuda melhor a Bíblia aquele que guarda o coração com diligência. Não estamos afirmando que o pregador não deve conhecer os homens, mas será um conhecedor mais profundo da natureza humana aquele que decifrar as profundidades e as complexidades de seu próprio coração.

Estamos afirmando que, embora o canal da pregação seja a mente, sua fonte é o coração; é possível alargar e aprofundar o canal, mas, se a pureza e a profundidade da fonte não forem examinadas, o resultado será um canal seco ou contaminado. Estamos afirmando que quase qualquer homem de inteligência mediana tem senso suficiente para pregar o evangelho, mas poucos têm a graça de fazê-lo. Estamos afirmando que aquele que lutou com seu próprio coração e o conquistou; que lhe ensinou humildade, fé, amor, misericórdia, simpatia, coragem; que pode derramar os ricos tesouros do coração assim treinado, mediante um intelecto viril, totalmente tomado pelo poder do evangelho na consciência de seus ouvintes — tal homem será o pregador mais genuíno e mais bem-sucedido aos olhos de seu Senhor.

13

A graça que se origina no coração, não na cabeça

O coração é o Salvador do mundo. Não é a mente que nos salva. Espírito humano, cérebro, brilhantismo, vigor ou dons naturais, estes não nos salvam. O evangelho flui pelo coração. Todas as forças mais poderosas são forças do coração. Todas as graças mais doces e amáveis são graças do coração. O coração grandioso gera um caráter grandioso; o coração grandioso gera um caráter divino. Deus é amor. Não existe nada maior que o amor, nada maior que Deus. O coração faz o céu; o céu é amor. Não existe nada mais elevado, nada mais doce que o céu. É o coração, não a mente, que gera os grandes pregadores de Deus. O coração conta muito em todos os aspectos na religião. É o coração que precisa falar do púlpito. É o coração que precisa ouvir no auditório. De fato, servimos a Deus com o coração. A homenagem cerebral não faz parte da paisagem celeste.

Cremos que um dos enganos mais graves e populares do púlpito moderno é ter nos sermões mais raciocínio do que oração, mais mente do que coração. O coração grande gera grandes pregadores; o coração bondoso gera pregadores bondosos. Uma escola teológica que alargue e cultive o coração é o desideratum de ouro do evangelho. O pastor ata seu povo a si mesmo e governa seu povo com o coração. Eles admiram seus dons, podem sentir orgulho de suas capacidades, podem sentir o efeito da duração dos sermões, mas a fortaleza de seu poder é o coração. Seu cetro é o amor. O trono de seu poder é o coração.

O bom pastor dá a vida por suas ovelhas. A cabeça nunca gera mártires. É o coração que se rende à vida de amor e de fidelidade. É preciso muita coragem para ser um pastor leal, mas só o coração pode suprir essa coragem. Os dons e o espírito humano podem ser valorosos, mas são os dons e a genialidade do coração, não os dons do intelecto.

É mais fácil encher a mente do que preparar o coração. É mais fácil fazer um sermão cerebral do que um sermão que toque o coração. Foi o coração que trouxe do céu o Filho de Deus. É o coração que levará homens para o céu. É de homens de coração que o mundo precisa para se solidarizar com sua angústia, dizer adeus aos pesares, compadecer-se com a penúria e aliviar a dor. Cristo, eminentemente, era um homem de dores, porque antes de mais nada era um homem de coração.

"Dá-me teu coração"— é o requerimento que Deus faz aos homens. "Dá-me teu coração!" — é a exigência do homem para o homem.

Um ministério profissional é um ministério sem coração. Quando o salário fala alto no ministério, o coração silencia. Podemos fazer da pregação um negócio se não pusermos o coração no negócio. Aquele que põe o eu na frente de sua pregação põe o coração nos fundos. Aquele que não semeia com o coração em seu estudo nunca fará a colheita para Deus. O retiro em secreto é o estudo do coração. Aprenderemos mais a respeito de como pregar e o que pregar nessa reclusão do que seria possível aprender nas bibliotecas. "Jesus chorou" — é o mais curto e o maior versículo da Bíblia. Aquele que anda chorando (não pregando grandes sermões), carregando a semente preciosa, é quem voltará regozijante, trazendo os feixes consigo.

Orar dá senso, traz sabedoria, alarga e fortalece a mente. O retiro em secreto é um professor perfeito e uma escola perfeita para o pregador. O pensamento não é apenas abrilhantado e aclarado na oração, mas o pensamento nasce na oração. Podemos aprender mais em uma hora de oração, quando realmente oramos, do que em muitas horas de estudo. Há livros no retiro em secreto que não podem ser encontrados nem lidos em nenhum outro lugar. Há revelações que são feitas no retiro em secreto que não são feitas em nenhum outro lugar.

14

Unção, uma necessidade

Alexandre Knox, um filósofo cristão da época de Wesley — não um adepto, mas um grande amigo pessoal de Wesley — escreveu com muita simpatia sobre o movimento wesleyano:

> É estranho e lamentável, mas sinceramente acredito ser um fato que, com exceção dos clérigos metodistas e metodísticos, não há muito interesse pela pregação na Inglaterra. O caso geral é que os homens da religião perderam totalmente essa arte. Existe, na minha concepção, nas leis grandiosas do mundo moral, um tipo de compreensão secreta, semelhante às afinidades na química, entre a verdade religiosa corretamente promulgada e os sentimentos mais profundos da mente humana. Onde uma delas for devidamente exposta a outra surgirá. Não nos ardia o coração? — mas para isso acontecer é indispensável que existam sentimentos de devoção naquele que fala. Bem, fico obrigado a afirmar, com base em minhas observações, que, sem qualquer possibilidade de comparação, é mais provável encontrar na Inglaterra essa *unção* em um pequeno convento metodista que na paróquia de uma igreja. Isso, e apenas isso, parece de fato ser o que enche as casas metodistas e esvazia as igrejas. Não sou, creio firmemente, um entusiasta;

sou um membro de igreja dos mais sinceros e cordiais, um discípulo humilde da escola de Hale e Boyle, de Burnet e Leighton. Mas agora preciso confirmar que, quando estive nesse país, há dois anos, não ouvi um único pregador que tenha me ensinado como meus grandes mestres que não fossem metodistas. E agora ando em desespero para obter um átomo de instrução vinda do coração em qualquer outro canto. Os pregadores metodistas (embora eu nem sempre dê minha aprovação para todas as suas expressões), com a maior das certezas, difundem essa religião verdadeira e imaculada. Experimentei um verdadeiro prazer domingo passado. Sou testemunha de que o pregador disse palavras que, ao mesmo tempo, eram palavras de verdade e sobriedade. Não havia eloquência — o homem honesto nunca sonha com tal coisa — mas foi muito melhor: uma comunicação cordial da verdade vitalizada. Digo vitalizada porque era impossível não sentir que ele mesmo vivia o que declarava a outros.

Essa unção é a arte da pregação. O pregador que nunca teve essa unção nunca dominou a arte da pregação. O pregador que perdeu essa unção perdeu a arte da pregação. Sejam quais forem as outras artes que tenha mantido — a arte de preparar um sermão, a arte da eloquência, a arte do pensamento elevado e cristalino, a arte de conquistar uma plateia — ele perdeu a arte divina da pregação. Essa unção torna a verdade de Deus poderosa e interessante; chama e atrai, edifica, convence e salva.

Essa unção vitaliza a verdade revelada de Deus, torna-a viva e transmite vida. Até mesmo a verdade de Deus falada sem essa unção é trivial, morta e mortífera. Apesar de a verdade ser abundante, apesar de o pensamento ser substancioso, apesar de a retórica ser vivaz, apesar de ser crivada de lógica, apesar de ser poderosa no ardor, sem essa unção divina a pregação transmite a morte, não a vida. O sr. Spurgeon diz:

Fico me perguntando quanto tempo podemos surrar nosso cérebro antes de dizer em termos simples o que significa pregar com unção. No entanto, quem prega reconhece sua presença, e quem ouve logo detecta sua ausência. Samaria, em penúria, tipifica um discurso sem a unção. Jerusalém, com suas festas e coisas substanciosas, cheias de tutano, pode representar o sermão enriquecido com a unção. Todos sabem como é o frescor da manhã quando pérolas do oriente abundam em cada folha de grama, mas quem pode descrevê-la, ou mesmo produzi-la por si só? Tal é o mistério da unção espiritual. Nós sabemos, mas não conseguimos dizer aos outros o que é. Simulá-la é tão fácil quanto leviano. A unção é algo que não se pode industrializar, e as imitações são menos do que indignas. No entanto, ela, em si mesma, não pode ser comprada, e é, além de qualquer medida, necessária caso se queira edificar os fiéis e levar os pecadores a Cristo.

15

Unção, a marca da verdadeira pregação do evangelho

A unção é algo indefinível, indescritível, que um velho e renomado pregador escocês descreveu da seguinte maneira:

> Às vezes, aparece algo na pregação que não pode ser atribuído ao tema ou à maneira de o pregador expressar-se; não se pode descrever o que é, nem de onde surge, mas, com uma violência doce, traspassa o coração e os afetos e brota diretamente da Palavra; se existe alguma maneira de obter-se tal coisa, é pela inclinação daquele que prega as coisas divinas.

Chamamos isso de unção. É essa unção que torna a palavra de Deus "viva e eficaz, e mais afiada que qualquer espada de dois gumes; ela penetra até o ponto de dividir alma e espírito, juntas e medulas, e julga os pensamentos e intenções do coração" (Hebreus 4.12). É essa unção que leva as palavras do pregador a tal ponto, dando-lhe agudeza e poder, criando um atrito que chega a chacoalhar muitos em uma congregação morta. As mesmas verdades foram ditas no rigor da letra, suavizadas pelo óleo humano, mas nenhum sinal de vida, nenhuma pulsação; tudo tão pacato quando os túmulos e os mortos. Nesse ínterim, o mesmo pregador recebe o batismo dessa unção, a divina inspiração sobre ele, a palavra de Deus adornada e inflamada por esse poder misterioso, e as pulsações da vida têm início — vida que acolhe ou vida que resiste. A unção permeia, convence a consciência e quebranta o coração.

Essa unção divina é o traço que separa e diferencia a pregação do evangelho verdadeiro de todos os outros métodos de apresentar a verdade, e que abre uma grande fenda espiritual entre o pregador que a possui e aquele que não a possui. Ela endossa e fecunda a verdade com toda a energia de Deus. A unção é simplesmente pôr Deus dentro de sua própria palavra e dentro do pregador. Pela atitude de oração poderosa, grandiosa e contínua, a unção é potencial e pessoal para o pregador; ela inspira e aclara seu intelecto, dá firmeza, percepções renovadas e poder para avançar; dá ao pregador poder de coração, e esse poder é maior que o poder da mente; além da ternura, da pureza e do fluxo forte que sai do coração por sua ação. Alargamento, liberdade, plenitude de pensamento, integridade de caráter e simplicidade de expressão são os frutos dessa unção.

É comum o zelo ser confundido com a unção. Aquele que tem a unção divina será zeloso pela própria natureza espiritual das coisas, mas deve haver muito empenho sem que o mínimo de unção lhe seja adicionado.

Empenho e unção se parecem em alguns aspectos. O empenho pode prontamente ser substituído ou confundido com a unção, e isso sem ser detectado. É necessário um olho espiritual e um senso espiritual para discriminar tal coisa.

O empenho pode ser sincero, sério, ardoroso e perseverante. Trata das coisas com boa vontade, busca-as com perseverança e encoraja-as com ardor; põe nelas seu vigor. Mas nenhuma dessas coisas alça voo mais alto que a mera humanidade. O *homem* está aí — o homem todo, com tudo o que possui de vontade e coração, de cérebro e espírito humano, de planejamento, trabalho e conversas. Ele estabeleceu para si mesmo algum propósito que o dominou e busca avidamente dominá-lo. Pode não haver nada de Deus nisso. Pode haver pouco de Deus nisso, por haver nisso muito do homem. Ele pode apresentar apelos em defesa de seu propósito zeloso que agradam, tocam, movem ou sobrepujam com a convicção de sua importância; e, em todo esse empenho, pode prosseguir com maneiras mundanas, sendo impulsionado apenas por forças humanas, seu altar construído por mãos terrenas e seu fogo aceso com chamas terrenas. Diz-se de um pregador de dons, bastante famoso, cuja interpretação das Escrituras servia a seu gosto ou propósito, que "ele se tornava muito eloquente em relação à própria exegese". Então os homens crescem excessivamente em relação a seus próprios planos ou movimentos. O empenho pode ser egoísmo simulado.

E quanto à unção? É o indefinível na pregação que faz a pregação. É aquilo que distingue e separa a pregação de todos os meros afazeres humanos. É o divino na pregação. Torna a pregação aguçada para aqueles que precisam de agudeza. Goteja lentamente, tal qual o orvalho, sobre aqueles que precisam de refrigério. A unção foi bem descrita como:

> Espada de dois gumes
> Fio de têmpera celestial
> Dobradas feridas abriu
> Reluzente é seu corte, divinal.
> Foi a morte para quem se atolou na lama; foi a vida
> Para quem pranteou o pecado.
> Inflamou e silenciou a contenda,
> Guerreou e pacificou o íntimo.

Essa unção não vem ao pregador no estudo, mas no retiro em secreto. É um lento gotejar originado no céu, que vem em resposta à oração. É a emanação mais doce do Espírito Santo. Ela fecunda, derrama-se, amacia, permeia, corta e abranda. Carrega a Palavra como dinamite, como sal, como açúcar; torna da Palavra um amenizador, um arrumador, um revelador, um esquadrinhador; faz do ouvinte um réu ou santo, faz chorar como uma criança e viver como um gigante; abre com a mesma delicadeza o coração e a bolsa, e ainda tão vigorosamente quanto a primavera abre suas folhas. Essa unção não é uma dádiva do espírito humano. Não se encontra nos saguões da instrução. Nenhuma eloquência pode cortejá-la. Nenhuma diligência pode ganhá-la. Nenhuma mão clerical pode conferi-la. É dádiva de Deus — é o anel com seu sinete, entregue a seus próprios mensageiros. É a dignidade cavalheiresca dos céus concedida a legítimos e bravos escolhidos que buscaram essa honra ungida com muitas horas de oração banhada em choro e luta.

O empenho é bom e impressionante; o espírito humano tem talento e grandiosidade. O pensamento inflama e inspira, mas é preciso um dom mais divino, uma energia mais poderosa que o empenho, o espírito humano ou o pensamento para romper as cadeias do pecado, para ganhar o coração depravado dos homens, distante de Deus, para reparar as brechas e para restaurar a igreja para os antigos caminhos de pureza e poder. Nada senão essa unção santa pode realizar tais coisas.

16

Muita oração, o preço da unção

No sistema cristão, a unção é a unção do Espírito Santo, que separa o pregador com vistas à obra de Deus e o qualifica para essa obra. Essa unção é uma capacitação divina pela qual o pregador realiza os propósitos peculiares e salvadores da pregação. Sem essa unção não se colhem resultados espirituais verdadeiros; os resultados e as forças na pregação não se elevam acima do discurso desprovido de santidade. Sem a unção, o discurso é tão potente quanto o púlpito.

Essa unção divina sobre o pregador gera, por meio da Palavra de Deus, os resultados espirituais que fluem do evangelho; e, sem essa unção, não se sabe se os resultados aparecerão. Muitas impressões agradáveis podem surgir, mas todas elas ficam muito abaixo das finalidades da pregação do evangelho. Essa unção pode ser simulada. Existem muitas coisas que se assemelham a ela; podem existir resultados que simulem seus efeitos, mas tais coisas são estranhas a seus resultados e natureza. O fervor ou a brandura eliciada por um sermão adoçado ou emocional podem se parecer com os movimentos da unção divina, mas não possuem a força penetrante e certeira de quebrantar o coração. Não há nenhum bálsamo que cura o coração nesses movimentos superficiais, complacentes e emocionais; não são radicais, não saem em busca do pecado nem o curam.

Essa unção divina é o traço marcante que separa a pregação do evangelho verdadeiro de todos os outros métodos de apresentar a verdade. Sustenta e interpenetra a verdade revelada com toda a força de Deus. Ilumina a Palavra, alarga e fecunda o intelecto e provê a capacidade de compreender e apreender a Palavra. Qualifica o coração do pregador e o conduz a uma condição de ternura, de pureza, de força e de luz, necessária para garantir os melhores resultados. Essa unção provê ao pregador liberdade e alargamento do pensamento e da alma — uma liberdade, plenitude e retidão de discurso que não se pode assegurar com nenhum outro processo.

Sem essa unção sobre o pregador, o evangelho não tem nenhum poder de propagação que seja superior a qualquer outro sistema de verdade. Este é o selo de sua divindade. A unção no pregador põe Deus no evangelho. Sem a unção, Deus está ausente, e o evangelho fica abandonado às forças vulgares e insatisfatórias que a engenhosidade, o interesse ou os talentos dos homens podem tramar para impor e fazer avançar suas doutrinas.

É nesse elemento que, com mais frequência, o púlpito fracassa. É bem nesse ponto extremamente importante que ocorrem lapsos. É possível haver instrução; brilhantismo e eloquência podem deliciar e encantar, métodos sensacionais ou menos ofensivos podem trazer o populacho às pencas, o poder mental pode impressionar e forçar a verdade com todos os seus recursos, mas, sem essa unção, cada um desses itens não passará de um ataque petulante das águas a um Gibraltar. Os borrifos de água e a espuma podem cobrir e reluzir, mas as rochas permanecem ali, no mesmo lugar, não se impressionam nem são impressionáveis. O coração humano pode ter sua dureza e pecados retirados por essas forças humanas da mesma forma que essas pedras podem ser eliminadas impetuosamente pelo ir e vir incessante do oceano.

Essa unção é a força da consagração, e sua presença é o teste contínuo dessa consagração. É a unção divina sobre o pregador que assegura sua consagração a Deus e a sua obra. E somente isso é consagração, embora outras forças e motivos possam chamá-lo ao trabalho. A separação para a obra de Deus pelo poder do Espírito Santo é a única consagração que Deus reconhece como legítima.

A unção, a unção divina, essa unção celeste, é o que o púlpito precisa e deve ter. Esse óleo divino e celeste colocado sobre o púlpito pela imposição da mão de Deus precisa suavizar e lubrificar o homem todo — coração, mente, espírito — até que o separe com um distanciamento poderoso de todos os motivos e objetivos terrenos, seculares, mundanos e egoístas, separando-o para tudo que é puro e afeito a Deus.

É a presença dessa unção sobre o pregador que cria a agitação e o atrito em muitas congregações. As mesmas verdades são proferidas no rigor da letra, mas não se vê nenhuma ondulação, e não se sente nenhuma dor ou pulsação. Tudo está silencioso como um cemitério. Outro pregador vem, e essa influência misteriosa está sobre ele; a letra da Palavra foi inflamada pelo Espírito; os espasmos de um movimento poderoso se fazem sentir; é a unção que permeia e agita a consciência, que quebranta o coração. A pregação sem unção torna tudo rígido, árido, acre e morto.

Essa unção não é uma memória ou apenas uma época do passado; é um fato presente, percebido, consciente. Pertence à experiência do homem e também a sua pregação. É isso que o transforma à imagem de seu Mestre divino, assim como aquilo pelo qual declara as verdades de Cristo com poder. É tanto poder no ministério que chega a ponto de fazer tudo o mais parecer débil e vão sem ela, e, com sua presença, consegue fazer propiciação pela ausência de todas as outras e mais débeis forças.

Essa unção não é uma dádiva inalienável. É uma dádiva condicional, e sua presença é perpetuada e intensificada com o mesmo processo pelo qual foi pela primeira vez obtida; pela oração incessante a Deus, pelos desejos fervorosos por Deus, por estimar-lhe o tamanho, ao buscá-la com ardor incansável, ao considerar que, sem ela, tudo o mais é perda e fracasso.

Como é essa unção e de onde vem? Vem direto de Deus, em resposta à oração. Somente o coração que ora fica cheio desse óleo santo; lábios que oram são ungidos com essa unção divina.

Oração, muita oração, é o preço da unção na pregação; oração, muita oração, é a única e exclusiva condição para essa unção. Sem a oração incessante, a unção nunca chega ao pregador. Sem perseverança na oração, a unção, assim como o maná recolhido em excesso, cria bichos.

17

A oração marca a liderança espiritual

Os apóstolos conheciam a necessidade e o valor da oração para o ministério. Sabiam que a alta comissão que receberam como apóstolos, em vez de os aliviarem da necessidade de orar, deixaram-nos comprometidos com ela por causa de uma necessidade mais premente; por isso eram excessivamente ciosos caso algum outro assunto importante os privassem de tempo, impedindo-os de orar como deveriam; então, os apóstolos indicaram leigos que cuidassem dos pobres; assim poderiam orar sem impedimentos: "... e nos dedicaremos à oração e ao ministério da palavra" (Atos 6.4). A oração é posta em primeiro lugar, e a relação deles com a oração é descrita em termos fortes — "... e nos dedicaremos à oração", fazendo dela uma ocupação, rendendo-se à oração, pondo nela fervor, urgência, perseverança e tempo.

Como esses homens santos, apostólicos, dedicaram-se à obra divina da oração! Paulo diz: "Noite e dia insistimos em orar" (1Tessalonicenses 3.10) — é o consenso da dedicação apostólica. Como esses pregadores do Novo Testamento deram-se em oração ao povo de Deus! Como eles põem Deus em potência total nas suas igrejas com as orações que fazem! Esses apóstolos santos não pensavam de forma vã e fantasiosa que tinham cumprido seus elevados e solenes deveres ao pronunciar a palavra de Deus com fidelidade, mas pregavam para que a mensagem tivesse aderência e conteúdo pelo ardor e insistência com que oravam. A oração apostólica era tão árdua, laboriosa e imperativa quanto a pregação apostólica. Eles oravam poderosamente dia e noite para levar seu povo às mais altas regiões da fé e santidade. Oravam ainda mais poderosamente para se manterem nessa elevada altitude espiritual. O pregador que, na escola de Cristo, nunca aprendeu a elevada e divina arte da intercessão por seu povo nunca aprenderá a arte da pregação, apesar de ser possível derramar homilética às toneladas sobre eles, e apesar de ser o gênio mais talentoso na preparação de sermões e na pregação em si.

As orações dos líderes apostólicos e dos santos muito fazem pelo surgimento de santos entre os que não são apóstolos. Se os líderes da igreja nos anos que se seguiram tivessem sido tão reservados e fervorosos na oração por seu povo quanto os apóstolos o foram, os dias sombrios de mundanidade e apostasia talvez não desfigurassem a história, não ofuscassem a glória e não retivessem o progresso da igreja. A oração apostólica faz santos apostólicos e mantém os tempos apostólicos de pureza e poder na igreja.

Altivez de alma, pureza e grandeza de motivos, altruísmo, autossacrifício, trabalho árduo e exaustivo, ardor de espírito, discernimento divinos são os requisitos para ser um intercessor em favor dos homens!

O pregador deve entregar-se à oração por seu povo; não simplesmente para que sejam salvos, mas para que sejam poderosamente salvos. Os apóstolos entregaram-se à oração para que seus santos pudessem ser santos; não para que tivessem inclinação para as coisas de Deus, mas para que habitassem neles "toda plenitude" de Deus (Colossenses 1.19). Paulo não se confiou à pregação apostólica para atingir essa finalidade, mas, conforme afirma: "Por essa razão, ajoelho-me diante do Pai" (Efésios 3.14). As orações de Paulo levaram os convertidos muito mais longe na estrada da santidade do que as pregações que fez. Epafras fez tanto ou mais por meio da oração pelos santos colossenses quanto por sua pregação. Ele trabalhou árdua e fervorosamente em oração por eles para que, "como pessoas maduras e plenamente convictas, continuem firmes em toda a vontade de Deus" (Colossenses 4.12).

Os pregadores são principalmente os líderes de Deus. Eles têm como responsabilidade principal zelar pela condição da igreja. Moldam o caráter da igreja, dão o tom e direcionamento para sua vida.

Muito depende desses líderes. Eles moldam as épocas e as instituições. A igreja é divina, o tesouro que encerra é celeste, mas ela carrega a marca do humano. O tesouro está em vasos de barro e assume o cheiro do vaso. A igreja de Deus faz seus líderes e é feita por eles. Quer ela os faça quer seja feita por eles, a igreja será o que seus líderes forem — espiritual, secular ou fragmentada. Os reis de Israel definiram os traços da piedade de Israel. Uma igreja raramente se subleva contra a religião de seus líderes, ou eleva-se acima dela. Líderes espiritualmente fortes; homens de poder santo, na dianteira, são indicativos do favor de Deus; tragédia e fraqueza seguem-se ao surgimento de líderes débeis ou mundanos. A queda de Israel foi muito grande quando Deus lhe deu crianças como príncipes e bebês para governá-los. Nenhuma condição feliz é predita pelos profetas quando crianças oprimem a nação de Israel de Deus e mulheres governam. Tempos de liderança espiritual são tempos de grande prosperidade espiritual para a igreja.

A oração é um dos elementos de destaque na liderança espiritual robusta. Homens de oração poderosa são homens de poder e dão forma às coisas. O poder deles está em Deus e dá passos de conquista.

Como um homem pode pregar se não receber a mensagem diretamente de Deus no refúgio em secreto? Como ele pode pregar sem que sua fé tenha sido vivificada; sua visão, aclarada; e seu coração, aquecido no refúgio com Deus? Ai dos lábios que vão ao púlpito sem serem tocados por essa chama do refúgio em secreto. Áridos e sem unção sempre serão, e verdades divinas nunca sairão com poder de lábios assim. No que se refere aos interesses reais da religião, um púlpito sem um refúgio sempre será coisa estéril.

Um pregador pode pregar de maneira oficial, agradável ou instruída, mas existe uma distância imensurável entre esse tipo de pregação e a semeadura da semente preciosa de Deus feita com mãos santas, acompanhada do coração que ora e chora.

O ministério desprovido de oração é o agente funerário de toda a verdade de Deus e da igreja de Deus. Ele pode ter o caixão mais caro e as flores mais exuberantes, mas é um funeral, apesar da arrumação encantadora. Um cristão que não ora nunca aprenderá a verdade de Deus; um ministério sem oração nunca será capaz de ensinar a verdade de Deus. Eras de glória milenar perderam-se por causa da igreja que não ora. A vinda de nosso Senhor foi postergada indefinidamente por uma igreja que não ora. O inferno aumentou suas instalações e encheu suas cavernas medonhas na presença do culto morto de uma igreja que não ora.

A melhor e maior oferenda é a da oração. Se os pregadores do século XX aprenderem bem a lição da oração e fizerem pleno uso do poder da oração, o milênio chegará a seu meio-dia antes de o século encerrar-se. "Orem continuamente" (1 Tessalonicenses 5.17) é o chamado clamoroso aos pregadores do século XX. Se o século XX puser as mãos em seus textos, pensamentos, palavras e sermões preparados no refúgio, o século seguinte verá novos céus e nova terra. Os antigos céus e terra, manchados e obscurecidos pelo pecado, desaparecerão sob o poder de um ministério baseado na oração.

18

Os pregadores precisam das orações do povo

De alguma forma, a prática de o pregador orar em particular caiu em desuso ou foi desconsiderada. Ocasionalmente se ouve que a prática é denunciada como depreciação do ministério, sendo uma declaração pública feita por aqueles que denunciam a ineficiência do ministério. Talvez ela ofenda o orgulho do instruído e do autossuficiente, e estes devem ser repreendidos e sentir-se ofendidos em um ministério que esteja abandonado a ponto de permitir-lhes a existência.

Para o pregador, a oração não é simplesmente o dever da profissão, um privilégio, mas uma necessidade. Os pulmões não sentem mais necessidade de ar do que o pregador sente de oração. É absolutamente necessário que o pregador ore. É uma necessidade absoluta que o pregador seja alvo de orações. Estas duas proposições estão soldadas tão intimamente que nunca devem se divorciar: **o pregador precisa orar; o pregador precisa receber orações**. Será necessária toda oração que puder fazer, e toda oração que possa solicitar, para dar conta de todas as responsabilidades temíveis e obter o maior e mais verdadeiro sucesso em sua grandiosa obra. O pregador verdadeiro, junto com o cultivo do espírito e a oração dentro de si, em sua forma mais intensa, anseia muito pelas orações do povo de Deus.

Quanto mais santo é um homem, mais ele tem a oração em alta estima; mais claramente ele vê que Deus se dá àqueles que oram, e que a medida da revelação de Deus à alma é a medida do anseio da alma, e mais insistirá na oração a Deus. A salvação nunca encontra seu caminho em um coração que não ora. O Espírito Santo nunca habita um espírito desprovido de oração. A pregação nunca edifica uma alma que não ora. Cristo nada sabe sobre os cristãos que não oram. O pregador que não ora não pode fazer avançar o evangelho. Dons, talentos, instrução, eloquência e chamado de Deus nunca atenuam as exigências de oração, mas somente intensificam a necessidade de o pregador orar e receber orações. Quanto mais abertos os olhos do pregador estiverem para a natureza, a responsabilidade e a dificuldade de seu trabalho, mais ele verá, e, se for um pregador verdadeiro, mais sentirá a necessidade de orar; não só no aumento da pressão para ele mesmo orar, mas também nos pedidos a outros para que o ajudem em suas orações.

Paulo ilustra esse ponto. Se algum homem tinha a capacidade de projetar o evangelho por meio da força pessoal, da força cerebral, da cultura, da graça pessoal, da comissão apostólica de Deus e do chamado extraordinário, esse homem era Paulo. Ele é um exemplo eminente de que o pregador precisa ser um homem dado à oração. Também é um grande exemplo de que o verdadeiro pregador apostólico precisa ter as orações de outras pessoas de bem para dar a seu ministério toda sua medida de sucesso. Ele pede, anseia e apela de maneira apaixonada pela ajuda de todos os santos de Deus. Assim como em outros aspectos, ele sabia que, no mundo espiritual, há força na união; que a concentração e a combinação de fé, desejo e oração aumentavam o volume da força espiritual até que se tornasse esmagadora e irresistível em seu poder.

Orações individuais combinadas, como gotas de água, compõem um oceano que nem se perturba com a resistência. Então Paulo, com clara e total apreensão da dinâmica espiritual, determinou-se a fazer seu ministério tão impressionante, eterno e irresistível quanto o oceano, ao juntar todas as orações individuais espalhadas e empregando-as em seu ministério. Não poderia a explicação da proeminência de Paulo em labutas e resultados, que impressionaram a igreja e o mundo, encontrar-se no fato de ser capaz de se concentrar, para si mesmo e para seu ministério, mais na oração que em outras pessoas? Para seus irmãos em Roma, ele escreveu: "Recomendo-lhes, irmãos, por nosso Senhor Jesus Cristo e pelo amor do Espírito, que se unam a mim em minha luta, orando a Deus em meu favor" (Romanos 15.30). Aos efésios, ele diz: "Orem no Espírito em todas as ocasiões, com toda oração e súplica; tendo isso em mente, estejam atentos e perseverem na oração por todos os santos" (Efésios 6.18). Aos colossenses, ele enfatiza: "Ao mesmo tempo, orem também por nós, para que Deus abra uma porta para a nossa mensagem, a fim de que possamos proclamar o mistério de Cristo, pelo qual estou preso. Orem para que eu possa manifestá-lo abertamente, como me cumpre fazê-lo" (Colossenses 4.3,4). Aos tessalonicenses, ele diz com intensidade: "Irmãos, orem por nós" (1Tessalonicenses 5.25). Paulo recorre à igreja de Corinto pedindo ajuda: "enquanto vocês nos ajudam com as suas orações" (2Coríntios 1.11).

Isto deveria fazer parte do trabalho deles. Eles deveriam ser a mão auxiliadora da oração. Paulo, em uma adicional e final recomendação à igreja de Tessalônica quanto à necessidade de orar, diz: "Finalmente, irmãos, orem por nós, para que a palavra do Senhor se propague rapidamente e receba a honra merecida, como aconteceu entre vocês. Orem também para que sejamos libertos dos homens perversos e maus" (2Tessalonicenses 3.1,2). Ele convence os filipenses que todas as provações e oposições podem servir à disseminação do evangelho pela eficiência das orações que fazem em favor dele. Filemom deveria preparar-lhe uma acomodação, pois, por meio da oração de Filemom, Paulo seria seu hóspede.

A atitude de Paulo nessa questão ilustra sua humildade e a percepção profunda que tinha quanto às forças espirituais que fazem avançar o evangelho. Mais do que isso, ensina uma lição para todos os tempos, de que, se Paulo era tão dependente das orações dos santos de Deus para que seu ministério obtivesse êxito, quão maior não será a necessidade de que as orações dos santos de Deus estejam concentradas no ministério de hoje!

Paulo não achava que esse apelo enfático pela oração diminuiria sua dignidade, enfraqueceria sua influência ou depreciaria sua piedade. E se isso acontecesse? Que a dignidade se vá, que a influência seja destruída, que sua reputação seja desfigurada — ele precisava das orações deles. Chamado, comissionado, principal dos apóstolos como era, e todo seu equipamento era imperfeito sem as orações de seu povo. Escreveu cartas para todos os cantos, encorajando as pessoas a orar por ele. Você ora por seu pregador? Você ora em secreto? **As orações em público valem pouco, a menos que sejam fundamentadas ou acompanhadas por orações em secreto.** Aqueles que oram estão para o pregador assim como Arão e Hur estavam para Moisés. Sustentam as mãos para cima e decidem a questão que tão impetuosamente os assedia.

O apelo e o propósito dos apóstolos foram de pôr a igreja para orar. Eles não ignoraram a graça de contribuir financeiramente com satisfação. Não ignoravam o lugar que a atividade religiosa e o trabalho ocupavam na vida espiritual; nada disso, porém, na estimativa ou na urgência dos apóstolos, poderia sequer se comparar em necessidade e importância à oração. O mais sagrado e premente dos apelos foi empregado, a mais abrasadora das exortações, as palavras mais abrangentes e estimulantes foram pronunciadas para fazer cumprir a obrigação e a necessidade importantíssimas da oração.

"Em todos os cantos ponha os santos para orar", este é o fardo do esforço apostólico e a tônica do sucesso apostólico. Jesus Cristo empenhou-se para fazer isso nos dias de seu ministério pessoal.

Enquanto se movia por infinita compaixão diante dos campos brancos para a ceifa, que pereciam por falta de trabalhadores, e faziam uma pausa em sua própria oração, ele tenta despertar a sensibilidade embotada de seus discípulos para o dever da oração enquanto lhes dá uma incumbência: "A colheita é grande, mas os trabalhadores são poucos. Peçam, pois, ao Senhor da colheita que envie trabalhadores para a sua colheita" (Mateus 9.37,38). "Então Jesus contou aos seus discípulos uma parábola, para mostrar-lhes que eles deviam orar sempre e nunca desanimar" (Lucas 18.1).

19
É preciso ponderação para colher resultados mais abundantes da oração

As devoções não são medidas pelo relógio, mas o tempo lhes é essencial. A capacidade de esperar, ficar e imprimir ritmo pertence essencialmente às relações que mantemos com Deus. É assim com a pressa, em todo lugar imprópria e danosa: é o que ocorre em medida alarmante na ocupação grandiosa de ter comunhão com Deus. Devoções curtas são a ruína da piedade aprofundada. Calmaria, compreensão e força nunca são acompanhadas da pressa. As devoções curtas esgotam o vigor espiritual, aprisionam o progresso espiritual, minam as fundações espirituais, arruínam a raiz e o despontar da vida espiritual. São a fonte prolífica de apostasia, a indicação segura de uma piedade superficial; enganam, frustram, apodrecem a semente e empobrecem o solo.

É verdade que as orações na Bíblia, ditas ou escritas, são curtas, mas os homens de oração da Bíblia ficavam com Deus durante muitas horas de luta, doce e santa. Eles venceram com poucas palavras e longa espera. As orações que Moisés registra podem ser curtas, mas Moisés orou a Deus, com jejuns e fortes clamores, quarenta dias e noites.

A afirmação da oração de Elias pode ser condensada em uns poucos parágrafos curtos, mas sem dúvida Elias, que, orando, de fato orou, passou muitas horas de luta incandescente e relacionamentos altivos com Deus antes que pudesse, com ousadia respaldada, dizer a Acabe: "Juro pelo nome do Senhor, o Deus de Israel, a quem sirvo, que não cairá orvalho nem chuva nos anos seguintes, exceto mediante a minha palavra" (1Reis 17.1). A síntese verbal das orações de Paulo são curtas, mas este disse: "Noite e dia insistimos em orar" (1Tessalonicenses 3.10). O Pai-nosso é um modelo divino para lábios infantis, mas o homem Cristo Jesus orou muitas noites inteiras antes que sua obra se completasse; e suas devoções, que duravam toda a noite e foram sustentadas por muito tempo, deram, à sua obra, acabamento e perfeição; e, a seu caráter, a plenitude e a glória de sua divindade.

O trabalho espiritual é exigente, e os homens relutam em fazê-lo. Orar, orar de verdade, tem o custo de despender muita atenção e tempo, para os quais carne e sangue têm pouca inclinação. Poucas pessoas têm fibra suficiente para absorver um custo muito alto quando um trabalho superficial resolve. Podemos nos habituar a nossas orações mendicantes até que nos pareçam adequadas; pelo menos elas mantêm uma forma decente, que aquieta a consciência — o mais mortífero dos narcóticos! Podemos fazer pouco caso da oração e não perceber o perigo até que as fundações desmoronem. Devoções apressadas geram fé fraca, convicções débeis e piedade questionável. **Ser pequeno com Deus é ser pequeno para Deus.** Tomar atalhos na oração torna todo o caráter religioso breve, limitado, mesquinho e desleixado.

Leva um bom tempo para que o fluir de Deus atinja o espírito. Devoções curtas obstruem o conduíte do pleno fluir de Deus. É preciso passar tempo nos lugares secretos para obter a revelação plena de Deus. Pouco tempo e pressa desfiguram o quadro.

Henry Martyn lamenta que a "carência de leitura devocional em privado e o encurtamento das orações por causa de uma

É preciso ponderação para colher resultados mais abundantes da oração

incessante preparação de sermões produz um distanciamento entre Deus e a alma do pregador". Ele julgou que tinha dedicado tempo demais às ministrações públicas e tempo de menos à comunhão privada com Deus. Sentiu-se forçado a reservar tempo para jejuar e dedicar tempo para a oração solene. Ele registra o resultado disto: "Fui assistido esta manhã, levado a orar durante duas horas". Disse William Wilberforce, homem que viveu ao lado de reis: "Preciso conseguir mais tempo para devoções pessoais. Para meu gosto, tenho vivido demais à vista do público. O encurtamento das devoções pessoais mata de fome a alma; ela perde a robustez e desfalece. Também tenho orado em horas avançadas na noite". Quanto a um insucesso no Parlamento, ele diz: "Permita-me registrar meu pesar e vergonha, e tudo, provavelmente, por causa do encolhimento das minhas devoções pessoais, e, por isso, Deus deixou que eu tropeçasse". Mais solitude e mais horas bem cedo foram seu remédio.

Mais tempo e horas na madrugada para a oração fazem mágica para reviver e revigorar a vida espiritual deteriorada de muitos. Mais tempo e horas na madrugada para oração ficariam manifestas no viver santo. A vida santa não seria tão rara, nem coisa tão difícil, se nossas devoções não fossem tão curtas ou apressadas. A disposição semelhante à de Cristo, em sua fragrância doce e desapaixonada, não seria uma herança tão alheia e desesperançada se nossa experiência no aposento recluso fosse encomprida e intensificada. Vivemos como trapos porque oramos com mesquinhez. Bastante tempo de celebração em nosso refúgio secreto trará tutano e robustez para nossa vida. Nossa capacidade de ficar com Deus dentro do aposento recluso mede nossa capacidade de ficar com Deus fora desse refúgio.

Visitas apressadas ao aposento recluso são enganadoras, omissas. Não apenas somos iludidos por elas, mas elas, de muitas maneiras, fazem-nos perder diversos e ricos legados. Demorar-se no aposento recluso traz instrução e triunfo. Somos ensinados por ele, e as maiores vitórias frequentemente resultam de longas esperas — esperando até que as palavras e os planos fiquem exauridos, e a espera silenciosa e paciente ganhe a coroa. Jesus Cristo pergunta com uma ênfase provocativa: "Acaso Deus não fará justiça aos seus escolhidos, que clamam a ele dia e noite?" (Lucas 18.7). Orar é a maior coisa que podemos fazer; e para orar bem é preciso calma, tempo e esforço deliberado; caso contrário, a oração degrada-se nas coisas menores e mais mesquinhas. A verdadeira oração alcança os melhores resultados para Deus; a oração indigente, os menores. Mesmo exagerando, não é possível valorizar suficientemente a oração verdadeira; mesmo exagerando, não é possível desprezar ainda mais o arremedo da oração. Precisamos aprender outra vez o valor da oração, entrar novamente na escola da oração. Nada leva mais tempo para aprender. E, se é para aprendermos essa tremenda arte, não se pode soltar um fragmento aqui e ali — "Uma conversinha com Jesus", como os santarrões cantam; precisamos exigir — e pegar com mão firme — as melhores horas do dia para Deus e para a oração, ou não haverá oração digna do nome.

Isto, no entanto, não é um dia de oração. Há poucos homens que oram. A oração é difamada pelo pregador e sacerdote. Nestes dias de pressa e alvoroço, de eletricidade e vapor, os homens não reservam tempo para orar. Há pregadores que "recitam orações" como parte de seu programa, regularmente ou em ocasiões formais; mas quem "se agita para apegar-se a Deus"? Quem ora como Jacó orou — até ser coroado como intercessor eficaz, coisa de príncipes? Quem ora como Elias orou — até que todas as aprisionadas forças da natureza fossem liberadas e uma terra sofrida com a fome florescesse como o jardim de Deus? Quem orou como Jesus Cristo orou, como fazia no monte: "passou a noite orando a Deus" (Lucas 6.12)?

Os apóstolos consagravam-se à oração — a coisa mais difícil de levar homens e, até mesmo, pregadores a fazer. Há leigos que dão dinheiro — alguns deles são abundantemente ricos —, mas não se consagram à oração, sem a qual seu dinheiro vira maldição. Existem inúmeros pregadores que pregam e fazem discursos grandiosos e eloquentes sobre a necessidade de reavivamento e disseminação do Reino de Deus, mas não são muitos que farão assim sem aquilo que torna inferior e vã a pregação e a organização — a oração. É antiquada, quase uma arte perdida, e o maior benfeitor que esta era poderia ter seria um homem para conduzir os pregadores e a igreja de volta à oração.

20

Um púlpito de oração gera uma congregação de oração

Foram somente lampejos da grande importância da oração que os apóstolos viram antes do Pentecoste. Mas a descida do Espírito enchendo as pessoas presentes alçou a oração à sua posição vital e predominante em todo o evangelho de Cristo. Hoje o chamado à oração para todo santo é o chamado mais notório e mais premente de todos. A santidade é produzida, refinada e aperfeiçoada pela oração. O evangelho anda a passos curtos e tímidos quando os santos não estão em oração cedo, tarde e por muito tempo.

Onde estão os líderes semelhantes a Cristo que podem ensinar aos santos de hoje como orar e dispô-los em oração? Estamos cientes de que a próxima geração de santos está crescendo sem oração? Onde estão os líderes apostólicos que conseguem pôr o povo de Deus para orar? Que eles assumam a ponta e façam o trabalho, e terá sido a maior obra que se pode fazer. Aumentar o número de instalações educacionais e também a quantidade de dinheiro será a maldição mais lúgubre para a religião se essas atitudes não forem santificadas por mais e melhores orações que as orações feitas hoje.

O número de orações não aumentará por inércia. A campanha pelas reservas financeiras dos séculos XX e XXX não beneficiará as orações que fazemos, mas será um impedimento caso não sejamos cautelosos. Nada trará proveito senão um esforço específico vindo de uma liderança que ora. Os principais entre eles precisam liderar no esforço apostólico de estabelecer firmemente a importância vital e a presença *de fato* da oração no coração e na vida da igreja. Ninguém, senão líderes que oram, podem ter seguidores que oram. Apóstolos que oram gerarão santos que oram. Um púlpito que ora gerará uma plateia que ora.

Precisamos muito de alguém que ponha os santos no ofício da oração. Não somos uma geração de santos de oração. Santos que não oram são um bando de santos mendicantes que não possuem o ardor, a beleza ou o poder dos santos. Quem recuperará tal ruptura? O maior entre todos os reformadores e apóstolos será aquele que puser a igreja para orar.

Apresentamos esse julgamento como o mais sóbrio que pudemos conceber: a grande necessidade da igreja nesta e em todas as épocas é a de homens com tal fé imponente, com tal santidade imaculada, com tal vigor espiritual marcante e com tal zelo consumidor, que as orações, a fé, a vida e o ministério desses homens assumirão forma tão radical e agressiva a ponto de operar revoluções espirituais que darão forma a eras na vida dos cristãos e da igreja.

Não estamos nos referindo a homens que fazem agitações sensacionais usando novos artifícios, nem àqueles que atraem usando entretenimento agradável, mas a homens que conseguem agitar coisas e operar revoluções ao pregar a Palavra de Deus e, pelo poder do Espírito Santo, criar revoluções que podem mudar totalmente o rumo das coisas.

A capacidade natural e as vantagens educacionais não constam como fatores nessa questão; e sim a capacidade de ter fé, a capacidade de orar, o poder da consagração total, a capacidade de enxergar a própria pequenez, o perder-se absolutamente na glória de Deus, o anseio sempre presente e insaciável e a busca pela plenitude de Deus — homens que conseguem inflamar a igreja para Deus não de maneira ruidosa e exibida, mas com um calor intenso e tranquilo que derrete e move todas as coisas para Deus.

Deus pode operar maravilhas se puser as mãos no homem certo. Homens podem operar maravilhas se conseguirem fazer Deus conduzi-los. O pleno dom do espírito que virou o mundo de cabeça para baixo seria notavelmente útil nestes últimos dias. Homens que conseguem agitar com poder as coisas para Deus, cujas revoluções espirituais transformam toda a aparência das coisas, representam a necessidade universal que a igreja tem.

A igreja nunca foi privada de homens assim; eles adornam sua história; são os milagres ambulantes da divindade da igreja; o exemplo e a história desses homens são inspiração e bênção inexauríveis. Devemos orar pedindo um acréscimo nesse número e no poder que têm.

Aquilo que foi feito em assuntos espirituais pode ser feito novamente, e ainda melhor. Esta foi a visão de Cristo. Ele disse: "Digo-lhes a verdade: Aquele que crê em mim fará também as obras que tenho realizado. Fará coisas ainda maiores do que estas, porque eu estou indo para o Pai" (João 14.12). **O passado não exauriu as possibilidades nem a exigência de realizar coisas grandiosas para Deus.** A igreja que fica na dependência de sua história passada, olhando seus milagres de poder e graça, é uma igreja decaída.

Deus quer homens eleitos — homens de quem se extraiu o eu e o mundo mediante uma crucificação severa, por uma falência que arruinou o eu e o mundo tão completamente que não existe esperança nem desejo de recuperação; homens que, por essa falência e crucificação, voltaram-se para Deus com coração perfeito.

Oremos ardorosamente para que a promessa de Deus quanto à oração seja mais do que cumprida.

Sobre o autor

EDWARD MCKENDREE BOUNDS (1835-1913), ministro metodista e escritor de textos devocionais, nasceu em Shelby County, no Missouri. Estudou direito e passou a advogar com 21 anos de idade. Depois de exercer o direito por três anos, começou a pregar na Igreja Episcopal Metodista do sul dos Estados Unidos. Na época de seu pastorado em Brunswick, no Missouri, foi declarada a guerra civil estado-unidense, e ele foi feito prisioneiro de guerra por recusar-se a jurar lealdade ao governo federal. Depois de liberado, serviu como capelão do quinto regimento do Missouri (do exército confederado) até o final da guerra, quando foi capturado e feito prisioneiro em Nashville, no Tennessee. Após o término da guerra, Bounds serviu como pastor no Tennessee, Alabama, e em Saint Louis, Missouri. Bound passou os últimos dezessete anos de sua vida com a família em Washington, na Georgia, escrevendo "livros sobre a vida espiritual".

O poder secreto da oração e do jejum
Mahesh Chavda

Deus tem uma maneira de transformar derrotas em vitórias e fortalezas demoníacas em caminhos de amor e poder. Quando você enfrentar a derrota, *O poder secreto da oração e do jejum* dará a você poder para liberar o Espírito Santo em seu interior!

Seja problema físico, seja financeiro ou familiar, Mahesh Chavda enfrentou vitoriosamente esses ataques e viu o poder de Deus ganhar cada batalha.

O estilo de vida de Mahesh Chavda é marcado pelo jejum e pela oração, por isso inspira você a lutar o bom combate, e Deus dará a solução.

Traga a glória de Deus para sua vida, igreja, cidade e nação por meio do poder secreto da oração e do jejum.

MAHESH CHAVDA é fundador e pastor sênior da Igreja All Nations em Charlotte, na Carolina do Norte. Mahesh, evangelista internacional, e sua esposa, Bonnie, levaram mais de 70 mil pessoas a Cristo ao redor do mundo. Ele também supervisiona o movimento mundial de oração Watch of the Lord e é conferencista. Sua família reside em Charlotte, Carolina do Norte.

Orações perigosas
Craig Groeschel

Você já se perguntou: "Por que Deus não responde às minhas orações?". Gostaria de ver provas de que a oração transforma vidas? Está cansado de nunca se arriscar na fé? Em *Orações perigosas*, Craig Groeschel ajuda você a acessar o seu maior potencial e a enfrentar os maiores problemas da vida com orações mais vigorosas e ardentes que o conduzirão a uma fé mais profunda.

A oração mexe com o coração de Deus — algumas mais que outras, no entanto. Deus quer para nós mais que uma fé frouxa e rotinas apáticas à mesa do jantar. Ele nos chamou para uma vida de coragem, não de conforto.

Este livro mostrará como fazer orações que sondem sua alma, rompam hábitos e o levem a correr atrás do chamado de Deus para a sua vida. Atenção: se para você não faz diferença se acomodar com o que é fácil, ou permanecer à margem dos acontecimentos, *Orações perigosas* não é para você. Este livro o desafiará. Testará. Provocará um autoexame demorado em seu próprio coração.

Você alcançará a coragem necessária para fazer orações perigosas.

CRAIG GROESCHEL, autor *best-seller* pelo New York Times de diversas obras como *O cristão ateu*, *Direção divina*, *Esperança na escuridão*, *Lute*, *Ego no altar* e *Estranho* (todas publicadas pela Editora Vida), é pastor sênior e fundador da Life.Church, igreja inovadora que se reúne em múltiplas sedes. Autor de vários livros e anfitrião de um podcast sobre liderança, ele também atua como grande propagador dos encontros da rede de líderes Global Leadership Network, que todos os anos alcança milhares de líderes ao redor do mundo. Craig e a esposa, Amy, moram em Oklahoma.

Esta obra foi composta em *Adobe Garamond*
e impressa por Gráfica Corprint sobre papel
Polen Bold 90 g/m² para Editora Vida.